NATIONAL GEOGRAPHIC

GUIDE PRATIQUE DE LA PHOTO

Portraits et personnages

COMMENT RÉUSSIR VOS PHOTOS

ROBERT CAPUTO

NATIONAL GEOGRAPHIC

SOMMAIRE

PAGES 2-3 : Au moment où ce jeune garçon déploie son filet au-dessus d'une rivière du Surinam, un rayon de soleil tombe sur sa main. Pendant une fraction de seconde, il semble tenir l'arc-en-ciel. Le photographe était prêt à saisir l'image. Robert Caputo

CI-CONTRE : La gentillesse est toujours récompensée. Quand un sujet est heureux et à l'aise, comme cette femme l'est de toute évidence, le sentiment passe dans la photo. Paul Chesley

CITEZ UN NOM QUELCONQUE, un nom vénéré ou haï, qu'il s'agisse de Victor Hugo, de Martin Luther King, de Hitler ou de Milosevic, et immédiatement vous vient à l'esprit l'image de ces individus. Pour la plupart d'entre nous, nous n'avons jamais rencontré ces personnes. Pourtant, nous avons l'impression de les connaître car nous avons vu des portraits photographiés qui nous révèlent aussi bien leur aspect physique que leur caractère.

La photographie d'êtres humains peut prendre un autre visage : la mort d'un partisan espagnol, les Marines américains hissant leur drapeau à Iojima, un étudiant lançant un pavé en 1968. Il s'agit de photos non pas d'individus, mais de moments qui ont marqué l'histoire. Elles nous informent tout en faisant naître en nous diverses émotions, à cause de l'impact de ces événements sur notre vie. D'autres photos, enfin, comme un grand nombre de celles que publie NATIONAL GEOGRAPHIC, créent un lien entre nous et des gens vivant dans des pays et des cultures que nous n'aurons jamais l'occasion de voir de nos propres yeux.

Puis viennent les photos personnelles, celles de nos amis et des êtres que nous aimons, de nous-mêmes quand nous étions plus jeunes. Preuve tangible de notre lien avec le passé, ces photos qui incarnent nos souvenirs comptent parmi nos trésors les plus chers.

L'être humain, s'il est notre modèle de prédilection, est aussi le plus complexe. Il est facile de faire des photos de personnes, mais moins aisé d'en réaliser qui les racontent. Les bons portraits, qu'il s'agisse de proches ou d'étrangers, transmettent aussi bien l'aspect physique que la personnalité. Ils nous font percevoir qui est le modèle.

David L. Arnold

Le plus important, dans le portrait, c'est de réfléchir. Qu'est-ce que votre image doit raconter ?

Dans ce livre, nous allons étudier les différentes méthodes de réflexion sur le portrait ainsi que les techniques pour réussir. Les photographes du NATIONAL GEOGRAPHIC vous révéleront leurs idées et leurs trucs. Enfin, je vous encouragerai à vous exercer autant que vous le pouvez. Rien ne remplace la pratique et peu d'activités sont aussi passionnantes que prendre des quantités de photos.

Tirez toujours parti du lieu. Quand le photographe a remarqué l'étonnante ressemblance entre cette femme et le portrait de sa grand-mère, il a tout de suite su ce que donnerait cette photo.

Les photos de personnes rentrent dans deux catégories : les portraits et les instantanés. Vous pouvez faire ces deux types de photos avec ou sans le consentement et la coopération de votre sujet. Que votre sujet soit loin ou proche, que votre appareil porte un regard distant ou intime, vous ne devez jamais perdre de vue les éléments et les techniques de composition qui vous aideront le mieux à communiquer ce que vous essayez de dire. Et cela est vrai que vous travailliez dans un studio ou dans la rue, que vous preniez une photo d'un de vos proches ou d'un simple passant.

Une fois de plus – et je ne le répéterai jamais assez – vous devez tout d'abord réfléchir à ce que votre photo doit dire et montrer. Dans un portrait, vous savez quel est le centre d'intérêt : la personne qui vous a inspiré cette image. Mais que voulez-vous dire d'elle ? Une fois que vous le saurez, vous pourrez utiliser les techniques de composition de ce chapitre qui vous aideront à parvenir à vos fins. Rappelez-vous qu'il s'agit de directives et non d'obligations. Vous n'êtes pas tenu de les respecter si cela vous donne une meilleure image.

Par exemple, si vous photographiez quelqu'un qui marche ou court en passant dans le plan du cliché, ou qui le traverse du regard, selon les conventions, vous devez laisser davantage d'espace devant cette personne que derrière afin qu'elle ait la place de poursuivre le mouvement suggéré par l'image. Mais vous pouvez aussi faire des photos frappantes, composées tout à fait à l'opposé, le personnage semblant sortir du cadre. Regardez attentivement,

Paul Chesley

pensez à ce que vous voulez dire, réfléchissez si vous voulez suivre ou non les règles de la composition, et prenez une photo qui soit bien de vous.

Le meilleur moyen d'apprendre les règles de la composition, c'est d'étudier les œuvres des peintres et des autres photographes. Allez dans les musées. Feuilletez des magazines de photo et d'art. Quand vous tombez sur une image qui vous frappe, étudiez-la. Pourquoi vous plaît-elle ? Comment l'artiste a-t-il réussi à produire cet effet ? Où était l'appareil photo ? Quelle est la focale de l'objectif ?

Approchez-vous, ne soyez pas timide. L'impact de cette photo provient des lignes et couleurs théâtrales, et de l'intimité de ce regard. Remarquez comme le visage a été légèrement décentré pour mettre en valeur l'effet produit.

Annie Griffiths Belt

Restez toujours à l'affût des moments d'intimité et cherchez la composition qui restituera l'ambiance. L'extraordinaire lumière qui tombe d'une fenêtre de la grange et l'angle formé par les bottes de paille dans lesquelles se nichent la jeune fille et son chien confèrent à cette image toute sa sérénité. Le chapeau met une note humoristique.

Quelle est la profondeur de champ ? Comment est la lumière et d'où vient-elle ? Où le sujet est-il placé ? Le photographe s'est-il servi d'éléments du premier plan – lignes directrices, motifs, formes et textures ? En étudiant les bonnes photos, vous apprendrez à composer les vôtres.

Approchez-vous

La plus grande erreur que commettent les photographes, c'est de ne pas s'approcher assez de leur sujet. Dans certains cas, le centre d'intérêt – le sujet – se réduit ainsi à une tache, trop petite pour produire le moindre effet. Même s'il est assez grand pour pouvoir être déchiffré, en général il ne signifie pas grand-chose. Le spectateur peut sentir la différence entre un sujet qui est petit parce qu'il était censé l'être et un sujet petit parce que le photographe s'est montré trop timide pour s'en approcher. Quand vous regardez les œuvres d'autres photographes, faites attention à leur manière d'occuper l'espace. Le cliché, dans sa totalité, doit se mettre au service du message. Si vous repérez dans votre viseur des détails qui détournent l'attention, supprimez-les. Quand vous photographiez des gens, cela signifie en général que vous devez vous en approcher.

Ne soyez pas timide. Si vous abordez les gens avec tact, le plus souvent ils seront heureux que vous les preniez en photo. C'est à vous de rompre la glace et de les amener à coopérer. Échangez des plaisanteries. Dites-leur pourquoi vous voulez faire cette photo. Entraînez-vous avec des gens que vous connaissez pour être plus à l'aise ; si vous ne l'êtes pas, vos modèles s'en rendront compte.

Travaillez votre approche. Si vous voyez quelque chose d'intéressant, ne vous contentez pas d'une simple vue d'ensemble. Réfléchissez à l'essence de ce que vous photographiez et approchez-vous peu à peu jusqu'à ce que vous l'ayez isolé et saisi. En général, les gens sont ravis de vous montrer ce qu'ils font bien.

Robert Caputo (toutes)

Robert Caputo (à gauche et ci-dessus)

Ci-dessus à gauche, le photographe a centré sur la fillette. En appliquant la règle des tiers (ci-dessus, à droite), il a obtenu une meilleure image. Le bras devient un élément graphique qui anime le mur coloré. La photo de la page ci-contre ne respecte pas cette règle, l'image marche pourtant, parce que le photographe s'est mis à plat ventre et a placé le sujet sur fond de ciel.

Évitez de centrer

La deuxième grande erreur, c'est de centrer votre personnage dans le cadre. Nous avons tous vu (et presque tous fait) des photos de ce type : la tête au milieu, plein d'espace au-dessus et sur les côtés, les pieds coupés. Les photos bien centrées sont en général ennuyeuses. Nous les trouvons statiques, sans grand intérêt en dehors du sujet et nous y jetons un coup d'œil avant de tourner la page. Bougez votre appareil photo, placez votre sujet à différents endroits dans le viseur. Quand vous vous serez un peu entraîné, vous sentirez quand vous aurez trouvé le bon angle.

La règle des tiers

Imaginez que le viseur de votre appareil est quadrillé par trois lignes horizontales et verticales situées à égale distance les unes des autres. La règle des tiers est une technique de composition qui

William Albert Allard, photographe du NATIONAL GEOGRAPHIC

place votre sujet à l'un des points d'intersection de ces lignes. Depuis fort longtemps, elle est utilisée en peinture et en photographie pour la simple raison qu'elle est efficace : nos yeux trouvent cette disposition des sujets à la fois agréable et dynamique. La prochaine fois que vous allez dans un musée ou que vous feuilletez un livre d'art ou de photos, pensez à cette règle des tiers. Vous remarquerez à quel point elle est utilisée.

Prenons un exemple : une photo d'une amie assise dans un café. Si vous la placez juste au milieu du plan, c'est vers elle que se dirigera tout de suite le regard du spectateur qui, du coup, ne prêtera pas vraiment attention à la zone entourant votre amie, parce qu'il aura compris qu'elle vous intéressait moins que la personne. Si, au contraire, vous placez votre amie sur une ligne imaginaire à un tiers du plan, le spectateur aura une sensation tout à fait différente. Il percevra mieux l'ambiance du café et devinera qu'il s'agit de la photo d'une personne dans un café plutôt que d'un simple portrait.

La règle des tiers, l'utilisation des lignes directrices et l'instant décisif sont ici réunis

David Alan Harvey

pour saisir la joie de l'enfant qui joue, et pour rendre le milieu dans lequel il vit.

Annie Griffiths Belt

Le visage de cet homme, proche de nous et éclairé d'une lumière douce, ressort bien sur cette vue de l'université d'Oxford. En se servant de la règle des tiers pour réaliser une composition intéressante et équilibrée, la photographe a fait un portrait aussi bien d'un homme que d'un endroit.

L'intersection où vous choisissez de placer votre sujet est déterminée par le reste de la scène. Regardez attentivement. Si votre amie se tient à droite, est-ce que les détails occupant le plan à gauche aident votre image ou lui nuisent ? Si ça ne va pas, bougez votre appareil pour la placer à gauche. Préférez-vous un point d'intersection en haut ou en bas ? Si elle se tient sous un joli store, mettez-la sur un point d'intersection inférieur pour profiter de ce détail. Souvenez-vous que tout ce qui est dans le viseur apparaîtra sur la photo et que chaque détail doit avoir une raison d'être là.

Les éléments du premier plan

Vous pouvez utiliser des éléments du premier plan pour guider le regard du spectateur vers le cadre et votre sujet. Vous pouvez choisir une ligne directrice ou des objets qui renforcent littéralement ou graphiquement le message de l'image. Dans un studio ou une pièce, si vous faites le portrait d'un écrivain, placez au premier plan une pile de livres ou un bloc

Robert Caputo (à gauche et ci-dessus)

L'image de gauche, dépourvue de détail intéressant au premier plan, n'a qu'un impact réduit. Le photographe, ayant attendu que la femme se fraie un chemin dans son champ de blé, a obtenu une photo beaucoup plus vivante. En même temps, il nous renseigne davantage sur l'endroit et les gens qui y vivent.

de papier et un stylo. Dans la rue, un étalage de fruits nous fait lever les yeux vers le visage souriant du marchand des quatre saisons. Dans une foule, les mains levées en signe de salut indiquent le candidat en train de discourir. Un chemin sinueux nous conduit à un couple se tenant par la main. Cherchez toujours comment utiliser les éléments du premier plan pour guider le spectateur vers votre sujet.

Faites attention à leur disposition. Les éléments du premier plan doivent renforcer votre image, mais non l'envahir. Ils ne doivent pas compliquer le sens de l'image ou lui faire concurrence.

La profondeur de champ

La profondeur de champ est l'une des composantes les plus importantes de la photographie, parce qu'elle vous permet d'influencer la perception du spectateur. Quand, dans la réalité, nous regardons des objets à des distances variées, nos yeux effectuent une mise au point automatique, quel que soit l'éloignement. Nous pouvons voir avec netteté tout

Point pratique

Si vous utilisez des objets autres que votre sujet principal au premier plan, faites attention à la disposition. Ils ne doivent pas compliquer l'image ou détourner du sujet.

Annie Griffiths Belt

L'ambiance de ce café est perceptible grâce à la composition puissante, due à l'utilisation de la règle des tiers et d'éléments du premier plan, ainsi qu'à la grande profondeur de champ. Le moindre détail apparaissant avec une grande netteté, nous sentons tout de suite l'ambiance du café.

ce que nous voulons. Le photographe, lui, décide ce qui sera net et ce qui ne le sera pas.

Vous pouvez vous servir de la profondeur de champ pour attirer l'attention du spectateur sur votre sujet et pour renforcer le message que vous voulez faire passer. Voulez-vous que votre sujet se détache sur l'arrière-plan ou se fonde avec lui ? Si vous utilisez des éléments du premier plan, comme nous en avons parlé plus haut, souhaitez-vous qu'ils soient nets ou flous ?

La profondeur de champ est déterminée par trois choses : la longueur focale, la distance entre l'appareil et le sujet, et l'ouverture (f/). Plus la longueur focale de l'objectif est courte, plus la profondeur de champ est grande. Plus l'ouverture est petite, plus la profondeur de champ est grande. Un objectif très grand-angle a une grande profondeur de champ à presque tous les diaphragmes. Un long téléobjectif a une profondeur de champ réduite même si vous choisissez le plus petit diaphragme. Le bouton pour tester la profondeur de champ, sur certains reflex, vous permet de la vérifier avant la prise de vue. Si

En choisissant cette perspective et une grande profondeur de champ, le photographe nous transporte sur les lieux pour voir ce que contemple cet homme. Avec une faible profondeur de champ, il n'aurait pas réussi cet effet.

votre appareil ne dispose pas de cette option, utilisez l'échelle de profondeur de champ figurant sur votre objectif pour évaluer ce qui doit être au point ou bien achetez un dos Polaroid.

Dans une scène de café, cherchez soigneusement les éventuels éléments du premier plan, mais regardez aussi l'arrière-plan, derrière votre sujet. Les éléments intégrés, et votre manière de les traiter, auront un effet puissant sur votre image.

Imaginons que vous êtes assis en face d'une amie, à la même table, sur laquelle sont disposées des tasses de café. Vous voulez que celles-ci figurent sur la photo, vous utilisez donc un objectif grand-angle. Voulez-vous mettre au point sur ces objets ou non ?

Cherchez toujours un moyen original de raconter votre histoire. Cette image nous révèle toutes sortes de choses sur la photo de mode en l'observant d'un point de vue différent. Si les mannequins n'avaient pas été assez nets – ce qui aurait été le cas avec une faible profondeur de champ –, l'image n'aurait pas marché.

Annie Griffiths Belt

Si vous souhaitez qu'ils soient flous, mettez au point sur votre amie et utilisez une grande ouverture. Si vous préférez qu'ils soient nets, choisissez une ouverture assez réduite pour mettre au point à la fois sur les tasses et sur votre sujet. Dans les deux cas, vérifiez la profondeur de champ à l'aide du test de profondeur de champ, si votre appareil est équipé. Si vous utilisez une petite ouverture, il faudra une vitesse d'obturation lente. Aux vitesses inférieures à 1/60 de seconde, veillez à l'immobilité de l'appareil et du sujet, sinon l'image serait floue. Utilisez un trépied, un flash électronique ou un film plus sensible si nécessaire.

Et l'arrière-plan ? Regardez-le attentivement. S'il est trop distrayant ou si votre sujet semble se fondre dedans, vous préférerez sans doute une très faible profondeur de champ afin que l'arrière-plan donne un flou artistique de formes et de couleurs. Mettez au point sur votre amie, afin de la faire ressortir sur ce fond. Dans ce cas, vous trouverez peut-être que votre grand-angle n'éloigne pas assez l'arrière-plan et il vous faudra alors un objectif plus long. Si vous voulez voir des détails nets à l'arrière-plan, assurez-vous que vous disposez d'une profondeur de champ suffisante.

Un bon exercice, qui vous aidera à voir les effets de différentes profondeurs de champ, consiste à photographier la même scène en sélectionnant différents diaphragmes, en allant du plus grand au plus petit. Comparez les photos, notez si le changement de profondeur de champ valorise l'image ou lui nuit.

Autres techniques

Toutes les fois que vous regardez dans le viseur de votre appareil, recherchez les éléments qui amélioreront aussi bien l'aspect que le message de votre photo : les motifs, les formes, les couleurs, les textures des surfaces, les cadres dans le plan de l'image. Cherchez tout ce qui fait ressortir le sujet, soit avec une ligne directrice, soit par contraste.

Point pratique

Dès que vous tenez votre appareil devant vos yeux, cherchez des lignes directrices, des éléments du premier plan, des cadres – tout ce qui peut donner du dynamisme à votre image. Les photos n'ont que deux dimensions, mais elles gagnent à prendre un peu de relief.

Robert Caputo

Les éléments graphiques contribuent au dynamisme d'une image. Ci-dessus,
le piquet et le jeune homme forment deux lignes parallèles. Le panier, en angle
droit avec le piquet, semble soulever le pêcheur. Dans la photo ci-dessous, la
grille métallique confère un peu de mystère à une scène estivale classique.

William Albert Allard, photographe du NATIONAL GEOGRAPHIC

James L. Stanfield

Robert Caputo

Annie Griffiths Belt

William Albert Allard, photographe du NATIONAL GEOGRAPHIC

Dans notre exemple du café, votre amie porte peut-être des couleurs qui la distinguent des autres clients, à moins qu'elle ne tourne le dos à tout le monde. Vous pouvez peut-être l'encadrer avec le corps du serveur d'un côté et son plateau en haut. Vous pouvez lui demander de ne pas bouger du tout, et utiliser une vitesse d'obturation lente pour que tous les autres personnages soient flous. Nous en reparlerons au chapitre « L'action ».

Le décor, votre deuxième sujet

Le décor dans lequel vous réalisez un portrait a son importance car il permet au spectateur de mieux comprendre votre sujet. La pièce dans laquelle une personne vit ou travaille, la rue qu'elle parcourt, le lieu où elle cherche à se détendre, tous ces décors nous renseignent sur les gens et nous parlent un peu de leur vie. Trouvez l'équilibre entre le sujet et son environnement. Intégrez un peu du cadre pour aider votre photo, mais pas au point de noyer votre sujet.

Quelquefois, le décor est ce qui vous a attiré et rendu désireux de faire une photo. Dans ce cas, il devient le sujet principal et les figures humaines sont reléguées au rang d'éléments de la composition. Nous ne nous intéressons aux gens que parce qu'ils occupent cet espace. Si vous avez été frappé par un édifice monumental, par exemple, vous découvrirez qu'il est plus facile de rendre cette masse imposante si elle semble écraser les humains qui se tiennent au pied de l'édifice. Quand vous remarquez un mur couvert d'affiches, voyez si elles ne seront pas mieux rendues avec quelqu'un qui les regarde.

Que vous vous serviez du décor pour raconter l'histoire d'une personne ou d'une personne pour révéler celle du décor, observez attentivement tout ce que présente votre viseur et demandez-vous : est-ce que cela nuit à mon idée ou l'aide ? Si vous n'avez pas une bonne impression, déplacez-vous. Quelques centimètres à droite ou à gauche, un peu plus haut ou plus bas, peuvent faire toute la différence.

Il peut s'agir d'un véritable cadre (à gauche) ou d'un cadre plus subtil, comme les moines au premier plan (page de gauche en haut). Le cadre donne de la profondeur à l'image et dirige l'attention vers le sujet principal.

Recherchez l'angle qui fait le mieux comprendre ce que vous voulez dire sur le sujet. Les photos des surfers (page de gauche au milieu) et des cow-boys (en bas) auraient été nettement moins intéressantes si le photographe était resté debout.

Organisez votre composition et attendez. Le contraste entre l'horloge et les

Bruce Dale

personnages en mouvement rend parfaitement l'ambiance des heures de pointe.

Vous devez penser à votre matériel comme à des outils, que ce soit le boîtier de l'appareil, l'objectif, le type de pellicule, le flash électronique, les filtres ou le trépied. La photographie comporte un aspect artisanal, et vous devez bien connaître vos outils et savoir choisir celui qui convient, tout comme un golfeur sélectionne un club pour une position particulière ou un mécanicien sait quelle clef il lui faut. La seule manière d'apprendre à connaître vos outils, c'est de travailler avec eux, et de travailler beaucoup. Rien ne remplace la pratique. Il faut que le matériel et les aspects techniques de la photographie vous deviennent familiers pour qu'ils ne vous fassent plus perdre un temps précieux. C'est déjà suffisant de réfléchir à votre image et à la composition.

Les photographes en studio et ceux qui se déplacent en compagnie d'un assistant utilisent souvent des appareils moyen ou grand format, parce que la pellicule plus grande permet d'obtenir un grain plus fin, des détails plus précis et une tonalité plus harmonieuse et, surtout, parce qu'ils n'ont pas à porter ce matériel eux-mêmes.

Le format le plus courant reste tout de même le 135 mm, les appareils 135 mm les plus appréciés des professionnels et des amateurs sérieux étant les reflex. Ces appareils, leurs objectifs et leurs accessoires sont faciles à utiliser, assez peu encombrants et exceptionnellement polyvalents.

Dans nos explications, nous partons du principe que vous utilisez un reflex 135 mm, mais elles valent pour tous les formats, depuis les appareils entièrement automatiques jusqu'aux modèles numériques.

Jodi Cobb, photographe du NATIONAL GEOGRAPHIC

N'oubliez pas : ce n'est pas l'appareil qui prend la photo, c'est vous ! L'important n'est pas le type d'appareil utilisé, mais la manière de l'utiliser.

Il est essentiel de choisir un objectif qui soit adapté à la situation. Si vous faites un portrait, le mieux est de choisir un téléobjectif court, entre 75 et 135 mm, pour des raisons que nous évoquerons dans le chapitre « Portraits ».

Si vous faites un portrait en situation ou un portrait saisi sur le vif dans une pièce, vous aurez sans

Grâce à un objectif grand-angle, avec sa grande profondeur de champ, le photographe a pu obtenir une image nette de tous les danseurs de cette scène, ainsi qu'une belle vue de la plage et du bateau.

doute à laisser assez de place au décor pour en rendre l'atmosphère. Si vous réalisez des prises de vue en extérieur, vous choisirez votre objectif en fonction de plusieurs facteurs : si vous voulez rendre l'ensemble ou un détail de la scène, ou encore vous approcher de votre sujet, etc.

Comme ils ne peuvent intervenir sur les événements et qu'ils doivent souvent se dépêcher pour prendre leurs clichés, la plupart des journalistes photo utilisent des zooms grands-angles et des zooms longues focales. En dehors de circonstances exceptionnelles, comme en sport, vous pourrez traiter à peu près toutes les situations si vous disposez de ces deux types d'objectifs. Les explications qui suivent sur les grands-angles et les téléobjectifs s'appliquent aussi bien aux focales fixes qu'aux zooms.

Les objectifs grands-angles

Les grands-angles présentent deux avantages : ils permettent de prendre une grande partie de la scène et ont une profondeur de champ assez exceptionnelle, comme nous l'avons expliqué. Ils sont particulièrement pratiques quand vous travaillez dans une petite pièce ou un espace réduit. Mais faites attention à ne pas saisir une trop grande partie de la scène, ce qui risquerait d'affaiblir l'effet produit par la photo. Ne perdez jamais de vue le centre d'intérêt (votre sujet) et faites appel à la composition pour guider le regard du spectateur vers ce point.

N'oubliez pas non plus que les grands-angles ont tendance à rendre les personnes un peu plus rondes qu'elles ne le sont en réalité et à déformer les objets autour d'eux – la déformation sera d'autant plus prononcée que l'objectif est un grand angulaire et l'objet proche. Par ailleurs, les grands-angles augmentent la distance apparente entre les objets situés dans le plan du film qui, du coup, semblent plus petits qu'ils ne le sont, surtout les plus éloignés. Vous ne voudriez pas que votre sujet semble trop petit sur le cliché.

William Albert Allard, photographe du NATIONAL GEOGRAPHIC

Ces trois photos ont une qualité essentielle, leur grande profondeur de champ.
Tous les éléments importants de la composition apparaissent avec netteté.
Quand vous composez une photo, réfléchissez bien à ce qui doit être net et à
ce qui ne doit pas l'être. Si votre appareil vous permet de tester la profondeur
de champ, faites-le avant de déclencher l'obturateur.

Robert Caputo (à gauche et ci-dessus)

Robert Caputo

Les téléobjectifs vous permettent d'isoler votre sujet de l'arrière-plan, comme sur cette photo de femmes musulmanes. Elles avaient conscience d'être prises en photo, mais ne firent pas d'objections du moment que le photographe restait à bonne distance. Elles auraient sans doute été un peu plus nerveuses s'il avait utilisé un objectif normal ou un grand-angle.

Les téléobjectifs

Les téléobjectifs produisent sur les gens l'effet inverse des grands-angles, puisqu'ils les amincissent. Ils conviennent bien au portrait et, bien sûr, à chaque fois que vous ne pouvez pas vous rapprocher physiquement de votre sujet. Utilisés avec une grande ouverture, ils offrent une faible profondeur de champ. Vous devez donc bien mettre au point sur les détails que vous voulez rendre avec netteté. (Pensez à utiliser le test de profondeur de champ pour vérifier, si votre appareil en est équipé.)

Les téléobjectifs sont formidables pour isoler des détails et pour couvrir un certain nombre de manifestations, sportives ou festives, où vous êtes obligé de rester sur place. N'oubliez pas qu'ils réduisent aussi la distance apparente entre les objets sur le cliché (en fait, ils les compriment), et que ceux-ci sembleront relativement plus grands qu'en réalité.

Les autres accessoires

Les trépieds sont utiles pour les téléobjectifs longs ou les temps d'exposition prolongés. Beaucoup de photographes utilisent des posemètres indépendants de l'appareil pour éviter les problèmes des posemètres intégrés, qui sont souvent leurrés par la prépondérance de zones claires ou foncées dans le cadrage. Le flashmètre vous permet de mesurer la puissance d'un flash électronique. Les filtres dégradés peuvent vous aider à atténuer une zone trop brillante tandis que les filtres colorés produisent divers effets. Sur le terrain ou en studio, vous pouvez utiliser toute la gamme des flashes électroniques, réflecteurs, spots et autres accessoires.

Pour en apprendre plus, et pour trouver des informations techniques sur les films, les cartes numériques, les appareils et autres, consultez les sites web, les magazines et les livres dont la liste figure à la fin de ce livre.

En comprimant la scène ci-dessous avec son téléobjectif, le photographe a su rendre aussi bien la gaieté exubérante de cette foule compacte que son entassement. S'il avait utilisé un objectif plus long ou plus court, il aurait sacrifié l'une ou l'autre de ces qualités.

Jodi Cobb, photographe du NATIONAL GEOGRAPHIC

TOUT EST DANS LA LUMIÈRE. Le mot photographie signifie « dessin lumineux » et c'est ce que vous faites quand vous prenez une photo : vous dessinez avec la lumière sur un morceau de pellicule ou une carte numérique. Vous devez penser à deux choses quand vous regardez la lumière qui tombe sur une scène que vous souhaitez photographier ou la lumière que vous ajoutez avec un flash électronique ou toute autre source lumineuse : la qualité et la direction.

Par qualité de la lumière, nous entendons à la fois la température de la couleur et son intensité. La température de la couleur détermine comment la pellicule ou la carte numérique rendront les couleurs des objets que vous photographiez. Le même objet, photographié avec un film de type lumière du jour, n'aura pas le même aspect selon qu'il sera éclairé par le soleil ou par une lampe de table. En fait, il sera tout à fait différent s'il est éclairé par le soleil à midi ou juste avant le coucher du soleil. Quand le soleil est bas, que ce soit le matin ou l'après-midi, ses rayons contiennent davantage de rouge, couleur de l'extrémité chaude du spectre chromatique. C'est pourquoi les couchers et levers de soleil sont rouges. Les photos prises quand le soleil est bas semblent plus chaudes, ce qu'en général nous estimons plus agréable et plus flatteur que la lumière plus bleue de la mi-journée que ce soit pour les paysages, les portraits ou la faune.

L'autre aspect de la qualité de la lumière, c'est son intensité. Par beau temps, la lumière du soleil frappe directement les objets. Par mauvais temps, elle est diffuse. Si vous utilisez un flash électro-

Jodi Cobb, photographe du NATIONAL GEOGRAPHIC

nique, des éclairages d'appoint ou toute autre source lumineuse, vous pouvez la diriger directement sur le sujet ou la diffuser en vous servant d'un accessoire pour l'adoucir ou la faire rebondir. L'intensité de la lumière qui tombe sur le sujet joue sur la manière dont la couleur sera reproduite, et, bien sûr, sur les ombres ou l'absence d'ombres.

Une autre raison pour laquelle nous aimons les photos faites en début ou en fin de journée, c'est que l'angle des rayons du soleil crée de longues ombres formant des contours ou un véritable modelé.

Sur cette image, le photographe s'est servi de la lumière venant de la scène pour définir avec puissance les formes et les jupes diaphanes des danseuses, et pour laisser percevoir leur attente avant la représentation.

Robert Caputo

Les rayons rasants du soleil couchant produisent un effet fantastique sur cette photographie éclairée latéralement. Quand vous faites des prises de vue par temps ensoleillé, essayez de bien remarquer comment les ombres tombent. Si vous le pouvez, utilisez-les dans vos compositions.

Et c'est là qu'intervient la direction de la lumière. En règle générale, vous devez prendre des photos en ayant le soleil derrière vous, de manière à ce qu'il touche l'une de vos épaules et tombe à un angle de 45° sur le sujet. Ainsi, les traits du sujet – son nez, par exemple – jetteront des ombres sur le côté, ajoutant une troisième dimension à votre photo.

Si le soleil se trouve juste au-dessus de votre tête, il jettera des ombres qui ne sont peut-être pas celles dont vous auriez rêvé. Vous verrez deux trous noirs à la place des yeux et des taches noires sous le nez et le menton. Si la personne porte un chapeau, vous risquez de ne rien distinguer du visage.

Pour apprendre comment la qualité et la direction de la lumière influencent vos photos, il suffit d'un exercice simple. Emmenez un de vos amis dans votre jardin et faites son portrait tôt le matin et à midi, par beau temps et par mauvais temps. Le jour où il fait beau, prenez des photos en ayant le soleil à un angle de 45°, de 90°, de 180°, puis directement sur le sujet. Ensuite, regardez les photos pour voir comment la direction et la qualité de la lumière ont influencé à la fois les couleurs et l'ambiance. Une fois encore, consultez les magazines et les livres de photo. Quand vous tombez sur une photo qui vous plaît vraiment, regardez-la et analysez-la : quel type de lumière était-ce ? D'où venait-elle ?

Dans ce chapitre, nous vous exposerons comment utiliser et modifier la qualité et la direction de la lumière. Mais il s'agit de directives et non de règles impératives. Entraînez-vous aux différentes techniques aussi souvent que vous le pouvez, dans toutes les situations possibles. L'aspect technique de la photographie doit devenir une seconde nature, pour que vous n'ayez plus à perdre un temps précieux à y réfléchir.

Je recommande la technique du bracketing* dans presque toutes les situations, surtout si la lumière est difficile. Si vous avez acheté des appareils, des objectifs et des pellicules et que vous vous êtes donné tout ce mal pour arriver à faire quelques photos valables, vous pouvez bien gâcher un peu de pellicule. Les films négatifs offrent une grande latitude ; vous pouvez être décalé d'un diaphragme ou plus et obtenir cependant un cliché parfait. Les films inversibles, moins tolérants, exigent une parfaite précision si vous voulez que les détails et les couleurs soient bien rendus.

Les appareils photos étant des objets mécaniques, ils ont leurs travers. Vous pouvez régler votre obturateur sur 1/250 de seconde, mais il est presque certain qu'il ne s'ouvrira pas pour cette durée exacte, mais plutôt pendant 1/200 ou 1/300 de seconde, voire davantage. Le bracketing vous permet d'éviter ce problème. Prenez un cliché en choisissant la vitesse d'obturation et l'ouverture que vous estimez être les bonnes, puis modifiez l'exposition d'un demi-diaphragme au-dessous, puis d'un demi-diaphragme au-dessus. S'il s'agit d'une situation vraiment délicate, faites une série de clichés en diminuant ou en augmentant d'un diaphragme à chaque fois.

*bracketing : technique de prise de vue consistant à prendre plusieurs photos identiques en modifiant seulement l'exposition, de manière à obtenir au moins une exposition idéale.

La lumière en intérieur

La lumière de la fenêtre

La lumière qui entre par une fenêtre peut être douce ou dure selon que le soleil brille à travers les carreaux ou qu'il est reflété. Il peut suffire à éclairer toute la pièce, mais vous pouvez aussi ajouter une autre source de lumière. Si vous faites des clichés dans une pièce pourvue de fenêtres, allez-y à différentes heures du jour pour voir de quoi elle a l'air et pour calculer à quel moment vous prendrez vos photos.

Le puits de lumière : si vous voulez photographier une pièce éclairée par un puits de lumière, et que vous souhaitez que ce puits soit visible, mesurez l'intensité de la lumière dans le puits et dans les autres parties de la pièce. Si la différence est trop importante, le film ou la carte numérique ne pourront pas enregistrer toutes ces lumières. Il faudra sans doute que vous ajoutiez des lumières dans les autres parties de la pièce, soit avec un flash électronique, soit en allumant des lampes. Faites attention à ce que votre éclairage ne soit pas aussi puissant ou

La lumière qui entre à flots par la fenêtre crée un fond magnifique sur cette photo de jeunes moines en train de s'instruire. Dans une situation qui offre un tel contraste, vous aurez sans doute recours à un flash d'appoint pour souligner les détails des visages, ce que le photographe a fait ici.

James L. Stanfield

Robert Caputo (à gauche et ci-dessus)

Ces photos ne sont éclairées que par un rayon de soleil perçant le toit de ce temple bouddhique. Le visage du moine (à droite) est illuminé par la lumière du soleil que renvoie le livre. Ce type de situations, où les zones sombres sont prépondérantes, vous oblige à faire des mesures très précises.

plus que le puits de lumière. Si vous utilisez un flash électronique intégré, faites-le rebondir sur le plafond ou un mur. Choisissez l'exposition correcte pour la lumière du puits, puis réglez votre flash en sous-exposant d'un diaphragme ou plus. Soulevez un peu de poussière ou soufflez de la fumée dans le puits de lumière pour qu'il ressorte parfaitement.

La lumière naturelle qui entre par une fenêtre est parfaite pour les portraits. Placez votre sujet près de la fenêtre de manière à éclairer son visage de trois quarts. Le côté éloigné de la fenêtre se trouvera dans l'ombre. Si vous pensez que l'ombre est trop prononcée, utilisez un réflecteur pour réfléchir un peu de lumière sur le visage afin de l'adoucir. Vous pouvez acheter des réflecteurs, ou bien vous servir d'une feuille de papier cartonnée, d'un drap, ou de n'importe quoi de blanc. Pour contrôler la quantité de lumière qui se réfléchit sur le visage, approchez le réflecteur de votre sujet, ou éloignez-le.

Si la lumière qui vient de la fenêtre est trop forte, vous pouvez l'adoucir en recouvrant les carreaux d'un voile fin, d'un drap blanc ou de papier calque. Si le ciel est nuageux mais que vous voulez qu'une colonne de lumière entre par la fenêtre, placez un flash électronique dehors et orientez-le vers la pièce.

Point pratique

Pour lui donner de l'éclat, mettez un point lumineux dans les yeux de votre sujet avec un petit réflecteur – un miroir terni ou le côté argenté d'un CD.

Flash électronique fixe, spots et réflecteurs

Si vous travaillez dans un studio ou dans une pièce peu ou pas du tout éclairée, il faut ajouter de la lumière. Je parlerai ici de l'utilisation des lumières dans un studio, mais ces principes s'appliquent à n'importe quel espace dans lequel vous pouvez installer des éclairages indépendants de l'appareil.

Pour éclairer de manière classique un portrait, placez votre principale source de lumière à un angle de 45° par rapport au sujet. Cela remplace le soleil par-dessus votre épaule. Adoucissez la lumière en la faisant rebondir sur un parapluie, une boîte à lumière, un drap blanc ou un morceau de papier calque placé sur la source de lumière. Pour allonger les ombres sur le visage de votre sujet, déplacez la lumière principale vers le côté. Pour les raccourcir, placez cette lumière devant lui.

Si vous ne souhaitez pas des ombres dures, utilisez un éclairage d'appoint ou un réflecteur pour éclairer un peu la zone d'ombre. La quantité de lumière est fonction de l'importance des ombres que vous désirez. Pour renforcer ou atténuer leur effet, approchez ou éloignez la lumière de votre sujet.

Pour réaliser un portrait en situation, vous pouvez vous servir de la même installation. Il faut juste couvrir une zone plus vaste. Comme la lumière décroît par rapport à la distance, il vous faudra peut-être des lumières plus fortes ou un film plus sensible.

En associant un flash d'appoint à la lumière de la fenêtre, le photographe a pu adoucir les ombres sur la partie gauche de chacun des visages tout en ayant une profondeur de champ suffisante pour que leurs traits soient nets.

David Alan Harvey

Robert Caputo

Multiplier les sources de lumière

Vous pouvez, bien sûr, utiliser autant de sources de lumière que vous le souhaitez et il existe toutes sortes de manières de le faire. Si vous faites des clichés dans une pièce, vous pouvez allumer les lampes ou la suspension. Si elles ne sont pas assez puissantes, remplacez les ampoules par d'autres de puissance supérieure. Vous pouvez aussi vous servir de spots ou d'un flash électronique pour éclairer un coin de la pièce dans lequel vous voulez voir des détails. Si vous voulez faire cela avec un flash électronique, cachez-le dans la partie de la pièce que vous voulez éclairer et prenez un déclencheur à cellules asservies ou à cellules photo-électriques. (Le déclencheur fait fonctionner le flash électronique indépendant en réagissant soit à la lumière soit à un signal radio.) Pensez à l'aspect que vous voulez donner à la pièce, aux parties que vous voulez éclairer complètement et disposez votre éclairage en fonction de vos souhaits. Servez-vous de votre imagination, mais évitez l'éclairage excessif. Les gens et les pièces ne sont pas toujours flattés pas une lumière égale et plate.

Réfléchissez à la puissance sur laquelle vous voulez régler votre flash. Sur cette photo, il était important de voir la lumière traverser le tissu, c'est pourquoi j'ai choisi une vitesse d'obturation lente et j'ai sous-exposé un peu en réglant le flash. Un plein flash avec une vitesse d'obturation rapide aurait empêché de distinguer le rayon de soleil.

En studio, vous aurez sans doute envie d'aller au-delà de cet éclairage classique pour portrait, en éclairant à contre-jour les cheveux de votre sujet par exemple ou l'arrière-plan. Pour éclairer le fond, il suffit de diriger une lumière vers ce point. Si vous souhaitez éclairer le fond autant que votre sujet, équilibrez son intensité avec celle de votre lumière principale. Si vous voulez qu'il soit plus éclairé ou plus sombre, réglez l'intensité. Pour mettre un peu de couleur dans le fond, vous pouvez aussi placer devant une tarlatane ou toute autre surface unie.

Pour éclairer à contre-jour les cheveux d'une personne, placez une lampe derrière elle, un peu sur le côté et au-dessus. Prenez un spot conique qui rétrécit le rayon lumineux, puis dirigez-le sur les cheveux du sujet. Vous pouvez aussi utilisez une lumière rase, placée directement derrière votre sujet de façon à ne pas être visible de l'appareil.

Le flash électronique indépendant

Si vous faites des prises de vues sur le vif, vous n'aurez sans doute pas envie de vous encombrer de caisses pleines de flashes électroniques, de pieds pour éclairages, de boîtes à lumière, de parapluies, de déclencheurs, bref, de tout ce que nous venons de décrire. Vous n'en avez pas besoin grâce au perfectionnement des flashes électroniques et des films sensibles de grande qualité que l'on trouve aujourd'hui. Souvent, un flash électronique vous donne assez de lumière pour éclairer une petite pièce. Pensez aussi à la technique de flou/figé dont nous parlerons dans le chapitre « L'action ». Avec une vitesse d'obturation très lente, même une faible lumière éclaire suffisamment une pièce.

En général, le flash électronique intégré qui éclaire de face le sujet ne produit pas un effet très heureux. Il donne une lumière très dure qui jette des ombres accentuées derrière le sujet. Le meilleur moyen, avec un flash électronique, c'est d'utiliser un accessoire diffusant la lumière. Certains diffu-

Point pratique

Pour équilibrer de façon agréable le contraste de luminosité de l'éclairage, servez-vous d'un flashmètre qui permet de déterminer si la lumière principale est deux fois plus vive que la lumière d'appoint.

William Albert Allard, photographe du National Geographic

seurs sont des dômes en plastique translucide qui se posent sur le flash, d'autres, en plastique blanc opaque, fonctionnent comme de petits réflecteurs. Vous pouvez même utiliser un morceau de carton blanc que vous scotchez au-dessus de votre flash électronique et que vous pliez pour qu'il réfléchisse la lumière vers l'avant. Essayez différentes solutions.

Si vous ne possédez pas d'accessoire diffusant, faites rebondir la lumière sur le plafond ou un mur. Dirigez simplement le flash vers le haut ou, encore mieux, tournez-le vers un mur proche (blanc de préférence). Toutefois, cela ne marchera pas si le plafond est trop haut ou le mur trop éloigné.

Avec un flash électronique indépendant, achetez un fil synchro pour le raccorder à votre appareil. Vous (ou un ami) pouvez alors tenir le flash sur le côté afin que la lumière donne plus de modelé. Vous pouvez aussi utiliser des flashes électroniques indépendants, équipés de déclencheurs à cellules asservies ou à cellules photo-électriques. Cachez-les dans différentes parties de la pièce. Ils se déclencheront en même temps que votre flash intégré ou indépendant.

Quand vous travaillez dans une cuisine ou un lieu encombré et plein d'agitation, vous ne pouvez pas toujours installer vos éclairages à l'avance. Utilisez un diffuseur et réglez votre flash électronique un cran au-dessous de l'exposition correcte pour la pièce afin de réaliser une photo comme celle-ci, où on ne remarque pas l'utilisation du flash.

Cary Wolinsky

L'éclairage scénique étant en général au tungstène, utilisez un film équilibré pour le tungstène pour bien rendre les couleurs. Les spectacles sont souvent peu éclairés, d'où la nécessité d'un film sensible. Si vous vous servez d'un téléobjectif (ci-dessus), posez votre appareil sur une balustrade ou le dossier d'un siège. Si seule la vedette est éclairée (à droite), prenez une mesure sélective (ou spot) si votre appareil le permet, pour calculer la lumière.

William Albert Allard, photographe du NATIONAL GEOGRAPHIC

L'éclairage scénique

Si vous photographiez une pièce de théâtre ou un concert, vous aurez sans doute à faire avec de la lumière au tungstène, qui est plus chaude que celle du soleil. Pour rendre les tons et les couleurs avec précision, utilisez un film équilibré pour le tungstène. Si vous avez un appareil numérique, il est important que la balance des blancs sur laquelle est réglé votre appareil convienne à la source de lumière. Vérifiez dans votre manuel comment changer la balance des blancs et utilisez le bon réglage pour obtenir un aspect naturel. Pendant le spectacle, la scène peut être éclairée par toutes sortes de lumières colorées dont vous devez vous méfier, car elles risquent de modifier vos photos.

Il vous faudra peut-être un objectif rapide et un film sensible pour prendre des clichés de certains spectacles. Souvent ils sont peu éclairés, pour produire plus d'effet. Si vous le pouvez, assistez à une répétition afin de pouvoir mesurer la lumière et de savoir à quoi vous attendre. Si vous voulez figer le mouvement – des danseurs par exemple –, il vous faudra une vitesse d'obturation assez rapide.

Les mêmes principes s'appliquent aux manifestations sportives de nuit ou à tout autre spectacle que vous ne pouvez pas éclairer vous-même. Si c'est un match professionnel, il sera certainement bien éclairé pour la télévision et les photographes des journaux, et vous pourrez profiter de leur lumière. Si c'est un match joué de nuit par un club d'amateurs, vous n'aurez sans doute pas beaucoup de lumière.

La chaleur de la lumière des bougies projette une riche lueur jaune sur les photos ci-dessous. Les bougies étaient en nombre suffisant pour que le photographe puisse prendre ses photos à environ 1/30 de seconde. Essayez toujours de chercher le détail qui marque, comme ici sur la photo de droite.

Bruce Dale (à gauche et ci-dessus)

Robert Caputo

La lumière vive du soleil et les ombres fortes créent une ambiance théâtrale sur cette photo et soulignent le sourire amical de la jeune fille. Notez l'utilisation faite, dans la composition, des blocs colorés du fond.

La lumière en extérieur

L'heure du jour et le temps

Comme nous l'avons rappelé au début de ce chapitre, la lumière naturelle change de qualité et de direction tout au long de la journée et aussi, bien sûr, avec le temps. En général, nous trouvons la lumière du soleil plus belle tôt le matin et tard le soir, à cause de sa tonalité plus chaude et de ses ombres allongées. Elle varie même selon l'importance des nuages ; la lumière diffuse du soleil, parfois assez dure, peut aussi bien être très douce et donner une fabuleuse saturation des couleurs sur le film.

L'important, c'est de penser à votre sujet et au type de lumière qui, selon vous, lui conviendrait le mieux. Si vous photographiez un mannequin sur une plage, vous préférerez sans doute une belle journée de soleil. Mais ce soleil ne mettrait pas en valeur un météorologue à l'affût d'une tornade, par exemple. Servez-vous du temps et de l'heure du jour pour renforcer le message transmis par la photo. Une belle fille allongée au bord de l'eau sous un soleil magnifique sera tout à fait à son avantage en fin de journée, avec une lumière chaude qui donne de la profondeur au bleu de l'océan, et fait ressortir un sable d'un blanc riche et chaud, tandis que les ombres allongées modèlent le sujet et les formes sinueuses sur le sable.

Mais ces qualités conviendraient-elles pour photographier un chercheur d'or progressant péniblement dans le désert ? Peut-être pas. La lumière dure du soleil à midi fonctionne mieux dans ce cas. Cette lumière plus froide et son intensité rendent mieux l'idée de la chaleur, de même que les ombres verticales et marquées. Pour renforcer cette sensation, et pour voir aussi les volutes de chaleur qui montent du sol, éloignez-vous de l'homme et utilisez un long téléobjectif.

N'oubliez jamais qu'une photo est l'expression d'une idée. Réfléchissez à ce que la photo doit dire, à

William Albert Allard, photographe du NATIONAL GEOGRAPHIC

Pour la photo ci-dessus, il a fallu choisir 1/30 de seconde pour que les cow-boys soient nets et éclairés par la lueur de leur feu de camp. Ci-dessous, la vaste profondeur de champ inhérente aux grands-angles a permis de rendre avec netteté le premier plan comme l'arrière-plan malgré la faible lumière.

Bruce Dale

l'idée que vous en avez. Réfléchissez à la manière qu'a la lumière de tomber à différentes heures du jour à l'endroit où vous travaillez, à sa direction, à la longueur des ombres qu'elle projette et à la qualité de sa couleur. Choisissez ensuite l'heure et le temps qui conviennent. N'hésitez pas à sortir par temps de pluie, d'orage, quelles que soient les intempéries, du moment que vos photos en profitent.

Les ombres en extérieur

Parfois, vous n'avez pas le temps d'attendre l'heure ou le temps idéal. Comme souvent dans le monde du photo-journalisme, vous devez tirer le meilleur parti du contexte. En plein milieu de la journée, si le soleil brille, et que vous avez décidé que ce n'est pas la lumière idéale, cherchez les zones d'ombre.

Les photos prises dans des zones d'ombre en extérieur ressemblent assez à celles faites quand la lumière du soleil est diffuse. Cet éclairage est assez égal ou doux. Les ombres en extérieur peuvent être produites par plusieurs choses : un auvent, l'embrasure d'une porte, un arbre. Si vous êtes dans une ville ou un village, cherchez plus particulièrement les ombres du côté opposé à un mur aux couleurs vives et éclairé par le soleil. La lumière qui rebondit sur le mur éclairera l'autre côté de la rue, souvent

*mesure spot (ou sélective) : technique de mesure qui n'analyse que la luminosité réfléchie par une très petite portion de l'image. Intégrée ou en option, la mesure spot implique une certaine expérience pour juger les valeurs tonales.

Les ombres en extérieur posent des problèmes assez complexes de mesure, surtout si votre sujet se tient dans l'embrasure d'une porte ou à sa fenêtre. Mettez-vous en mode mesure spot* si vous en avez un, et faites un bracketing (voir ce terme page 35) pour être sûr d'avoir au moins une photo bien exposée.

Robert Caputo

d'une lumière très belle. La lumière réfléchie par un trottoir peut produire un éclairage en contre-plongée souvent assez fantastique.

Et si vous faites des photos à l'ombre d'un arbre ou d'un objet isolé, faites attention à la luminosité de l'arrière-plan. Si le soleil donne en plein, le contraste peut être trop fort pour que votre film ou la carte numérique puisse l'enregistrer.

Si vous faites un portrait en extérieur et que vous n'avez pas la lumière naturelle voulue, placez votre sujet à l'ombre, de préférence dans un cadre qui ait un point commun avec le message que vous voulez faire passer. Si vous ne trouvez pas un endroit ombragé, fabriquez-en un en tendant un drap, par exemple.

Faites attention, car l'intensité de la lumière baisse très vite. Si vous photographiez quelqu'un se tenant à l'ombre dans l'embrasure d'une porte, par exemple, demandez-lui de se placer juste au bord. S'il fait un pas en arrière, vous n'aurez peut-être pas assez de lumière.

Point pratique

Pour réchauffer la lumière et lui donner une dominante plus flatteuse, mettez sur votre flash électronique une gélatine ambrée.

Flash d'appoint et réflecteur

Quand la lumière n'est pas franchement idéale, vous pouvez en ajouter, en vous servant d'un flash d'appoint ou d'un réflecteur. Ces deux accessoires suivent le même principe : vous projetez un peu de lumière sur le sujet pour adoucir le contraste et éclairer les ombres.

Donc, si vous faites le portrait de quelqu'un qui porte un chapeau, l'ombre produite par le bord peut être si sombre que le film ou la carte numérique ne pourront pas rendre le moindre détail du visage. Pour y remédier, éclairez un peu le visage. Vous ne voulez pas non plus que votre lumière soit plus forte que la lumière naturelle, parce qu'alors vous perdriez toutes les ombres. Vous voulez à la fois l'ombre et les détails.

Les flashes d'appoint sont très faciles à utiliser parce que les flashes électroniques mesurent la quantité de lumière qu'ils émettent et communiquent

L'extraordinaire
éclairage à contre-jour
de cette photo permet
de saisir l'instant
où cet homme pénètre
dans la pièce.
Notez comment
le photographe
a composé la scène,
en intégrant des motifs
formés par les
lumières et les ombres
sur le mur et la table,
et comment la lumière
sur la table et les
rayons lumineux sur
le sol guident
votre regard vers
le personnage.

avec l'appareil. Tout ce que vous avez à faire, c'est indiquer la quantité de lumière que vous voulez.

Posez un diffuseur sphérique ou autre accessoire diffusant sur votre flash électronique, réglez-le à un degré au-dessus de l'horizontale et programmez-le pour qu'il envoie la quantité de lumière désirée. Dans la plupart des cas, si vous utilisez un flash d'appoint, réglez-le 1 ou 1 diaphragme et 1/3 au-dessous de la valeur nominale. Réglez l'appareil pour une exposition normale, et prenez votre cliché. Le flash lira le réglage de l'appareil et éclairera pour un diaphragme de moins. Si par exemple la mesure pour cette scène vous donne f/8 à 1/250 de seconde, réglez l'appareil en fonction de ces données. Si vous avez programmé le flash pour qu'il soit réglé sur un diaphragme de moins, il donnera de la lumière pour f/5,6, réduisant le contraste mais sans éclipser la lumière du soleil. Un flash d'appoint bien utilisé, cela ne se voit pas. L'utilisation des réflecteurs est grosso modo la même, mais vous avez l'avantage de voir l'effet de la lumière que vous renvoyez sur le sujet.

Richard Olsenius

Annie Griffiths Belt

Comme le montre cette photo prise dans un aquarium, vous pouvez réaliser des silhouettes partout où le contraste entre sujet et arrière-plan est suffisamment fort.

L'éclairage à contre-jour et les silhouettes

L'éclairage à contre-jour, que ce soit en intérieur ou en extérieur, permet d'isoler votre sujet du fond et d'obtenir des effets fantastiques. Selon le rapport entre la quantité de lumière à contre-jour et la quantité de lumière qui éclaire de face votre sujet, vous verrez des détails ou simplement une silhouette.

En intérieur

Nous avons déjà expliqué comment ajouter des sources de lumière pour éclairer votre sujet à contre-jour, page 39. Plus cette lumière est forte, plus vous aurez un effet de halo autour de la tête du sujet.

Vous pouvez aussi éclairer toute la personne à contre-jour en plaçant une lumière derrière elle. Assurez-vous que cette source lumineuse n'est pas visible de l'appareil. Pensez toutefois à envoyer assez de lumière sur le visage de votre sujet pour en distinguer les détails. Si vous voulez réaliser une silhouette en intérieur, éclairez fortement l'arrière-plan mais ne mettez pas de lumière sur votre sujet. Réglez l'exposition sur la lumière de l'arrière-plan.

En extérieur

L'éclairage à contre-jour peut aussi produire des effets remarquables en extérieur, aussi n'ayez pas

Point pratique

Si vous faites beaucoup de photos au flash ou avec un flash d'appoint, servez-vous d'un lot de piles pour votre flash électronique. Une alimentation externe stocke beaucoup plus d'énergie que les piles utilisées dans la plupart des flashes. Vous pourrez vous servir beaucoup plus de votre flash et vous n'aurez pas besoin d'attendre trop longtemps pour qu'il se recharge.

Robert Caputo

N'ayez pas peur de prendre des photos à contre-jour.
En photographiant ces femmes de dos, le photographe a pu rendre la finesse de leurs vêtements, ce que n'aurait pas permis une photo de face. Le contre-jour souligne aussi l'idée des femmes voilées et la sensation d'anonymat.

peur de prendre des photos face au soleil. Vous pouvez vous en servir pour mettre en valeur les cheveux d'une personne, comme dans un portrait en intérieur, ou pour que l'ombre de la personne semble s'étirer vers l'appareil. Pensez à ce que vous voulez dire et utilisez la lumière qui l'exprime.

Si vous photographiez des gens sur une plage au soleil ou sur tout autre fond lumineux, ils risquent d'être éclairés par l'arrière. Si c'est le cas, pensez au contraste que vous souhaitez établir entre la lumière éclairant de face votre sujet et celle qui vient de l'arrière. Si le contraste est important et que vous voulez voir des détails de votre sujet, servez-vous d'un flash d'appoint ou d'un réflecteur.

Si vous préférez rendre une silhouette, réglez l'exposition sur l'arrière-plan, mais faites attention si vous utilisez un posemètre intégré et si la personne occupe une grande partie du plan de l'image. Cette masse sombre risque d'induire le posemètre en erreur. Mesurez d'après l'arrière-plan, puis recommencez la composition pour prendre votre cliché.

Jodi Cobb, photographe du NATIONAL GEOGRAPHIC

Jonathan Blair   Robert Caputo

Ouvrez les yeux et soyez patient. Pour la photo du haut, la photographe
a repéré la situation en se promenant dans un parc, puis elle a attendu
que l'homme tourne la tête pour obtenir la silhouette qu'elle voulait. Avec
une vitesse d'obturation rapide, vous pouvez figer le mouvement (ci-dessus,
à gauche) de l'eau d'une douche ou de la pluie à contre-jour. Quand vous
prenez une photo face au soleil (ci-dessus, à droite), attendez le moment
où il est masqué par quelque chose apparaissant dans le plan du film,
comme ici les danseurs, afin que la photo ne soit pas inondée de lumière.

L'éclairage à contre-jour offre un beau contraste entre les lignes des pêcheurs et

Robert Caputo

la forêt sombre, tout en entourant les hommes et leur bateau d'un halo de lumière.

IL EST ASSEZ FACILE DE FAIRE des photos des gens que nous connaissons, puisque nous nous sentons à l'aise avec eux et que la confiance est réciproque. Avec des étrangers, cependant, c'est un peu plus délicat et l'une des plus grandes difficultés du photographe, c'est de venir à bout de sa timidité.

Tout est une question d'attitude. On dit souvent que les chiens sentent la peur qu'ils inspirent aux gens, et il en va de même quand on photographie des étrangers dans la rue. Si vous êtes timide, pas très sûr de vous, les gens que vous voulez photographier le sentiront. Si vous êtes nerveux, ils le seront aussi. Si vous avez l'air de fouiller, ils croiront que vous cherchez à faire quelque chose de louche et auront l'impression d'être exploités. En revanche, si vous êtes amical, ouvert et sympathique, les gens, en général, réagiront de manière positive et seront heureux de vous faire plaisir. Si vous les abordez en y mettant les manières, ils seront flattés et prêts à coopérer. Prendre des photos est finalement une affaire de coopération entre vous et votre sujet, qu'il en soit conscient ou non.

Les exceptions existent, bien sûr. Certaines personnes n'aiment tout simplement pas qu'on les prenne en photo. Parfois, la coutume interdit de prendre les femmes ou les enfants en photo, voire quiconque. Montrez-vous toujours respectueux de la volonté et des coutumes des autres. Renseignez-vous sur les mœurs locales si vous voyagez, et soyez sensible à la manière dont les gens réagissent quand vous brandissez votre appareil.

William Albert Allard, photographe du NATIONAL GEOGRAPHIC

Le plus souvent, le meilleur moyen de prendre des photos dans la rue, c'est de se promener. Quand vous découvrez une ville, perdez-vous et soyez attentif à toute la vie et aux rapports humains qui défilent devant vous. Quand quelqu'un ou quelque chose accroche votre regard, approchez-vous. Pensez comment vous allez rendre cette sensation qui vous a fait vous arrêter.

Quand vous photographiez dans la rue, pensez bien à l'équipement que vous emportez. Prenez ce qu'il vous faut pour couvrir n'importe quelle situation mais ne vous surchargez pas. L'équipement de

Quand vous repérez une situation intéressante, restez sur place et soyez prêt. Le photographe, attiré par cette scène à cause de la lumière et des ombres, était prêt à prendre sa photo quand il a vu la femme s'approcher de la porte.

Robert Caputo

Jodi Cobb, photographe du NATIONAL GEOGRAPHIC

Grâce à un téléobjectif, j'ai pu cadrer cette scène de café sans déranger la femme plongée dans son livre (ci-dessus, à gauche). Dans les bars et les cafés, les clients sont souvent tellement pris par leur conversation (ci-dessus, à droite) ou autre chose qu'ils ne remarquent pas l'appareil.

base peut se résumer à un boîtier, un zoom 17-35 mm f/2,8, un zoom 80-200 f/2,8, un 85 mm f/1,8 mm, un flash électronique, et le plein de films ou de cartes numériques.

Clichés pris sur le vifs : ne vous imposez pas

Vous pouvez avoir envie de prendre en photo des vendeurs sur un marché, les spectateurs d'une manifestation sportive, la queue devant un cinéma, mais sans qu'ils aient l'air de s'en rendre compte. Souvent, les gens vous voient, puis vous oublient parce qu'ils doivent se concentrer sur ce qu'ils font. Il faut que votre photo donne l'impression d'observer une scène spontanée, prise sur le vif.

Il existe plusieurs manières de se montrer discret. Tout d'abord, déterminez ce que vous voulez photographier. Vous avez peut-être remarqué un étalage particulièrement coloré sur un marché ou un banc dans un parc magnifique. Trouvez un endroit pour vous asseoir ou rester debout, de manière à avoir une bonne vue de la scène, puis installez-vous là et attendez que les éléments se réunissent pour cadrer.

Si vous utilisez un téléobjectif long et que vous êtes éloigné de votre sujet, les personnages de votre scène mettront sans doute un certain temps avant de vous remarquer. Vous devriez pouvoir cadrer et faire votre cliché avant que cela ne se produise. Quand ils vous remarquent, souriez et faites-leur signe. Il y a une différence entre la discrétion et la froideur.

Si vous voulez être discret, vous pouvez aussi rester assez longtemps au même endroit pour que les gens arrêtent de faire attention à vous. Si vous êtes assis dans un café, commandez une boisson et attendez. Quand les autres clients commencent à se plonger dans leurs conversations, relevez calmement votre appareil et faites votre cliché. La plupart du temps, les gens ne remarquent rien ou sont indifférents. Mais faites preuve de tact. Si vous les mitraillez, ils risquent alors de ne plus se montrer indifférents. Vous pouvez aussi poser votre appareil sur la table avec un objectif grand-angle réglé sur votre sujet et actionner le déclencheur souple au bon moment. C'est une opération facile avec les appareils modernes disposant d'un autofocus et de la mémorisation de l'exposition.

L'instant décisif

Les photographes saisissent une image du monde à un moment donné de l'histoire ; le truc, c'est de trouver le bon moment. Un bon photographe saisit l'essence de la situation. Henri Cartier-Bresson a qualifié d'« instant décisif » cet instant pris dans le défilé du temps ; il est celui qui rend le mieux ce que l'artiste essaie d'exprimer avec son appareil photo. C'est l'instant où les éléments graphiques, émotionnels et intellectuels se rejoignent pour produire une bonne image. Pour obtenir cette image, il faut de la patience, de la vivacité, de la réflexion et de la pratique.

Dans un portrait, le bon moment peut se voir dans l'expression de la personne. Dans une scène

Al Petteway

Cette photo dégage une grande tendresse car elle a été réalisée juste au moment où la fillette se hissait sur la pointe des pieds pour atteindre le bouton de la porte. Observez toujours le déroulement de l'action dans votre viseur, et attendez le bon moment.

Le photographe a repéré le miroir et le reflet de l'homme en train de déployer son

parasol, et s'est placé de manière à saisir la symétrie presque parfaite de la scène.

de rue, c'est une combinaison des expressions humaines et des relations physiques et psychiques qu'entretiennent les gens les uns avec les autres, ainsi que du cadre, des ombres et de la lumière – tout ce qui apparaît sur le cliché.

En sport, l'instant décisif est en général assez évident : c'est l'angoisse du gardien de but face au penalty, le tir du buteur ou le visage du basketteur plaçant le ballon dans le panier. Quand vous photographiez deux personnes, l'instant décisif sera vraisemblablement celui où leurs expressions et leur langage corporel révèlent leur relation : l'enfant qui admire de tout son être son champion de foot préféré, le jeune homme offrant un petit bouquet à une jeune fille avant un bal. Dans les scènes de rue, ce moment est souvent moins évident, à cause du nombre des éléments entrant en ligne de compte.

Imaginons que vous avez repéré un mur intéressant dans un coin d'une ville. Vous aimez la couleur du mur, les fenêtres et la porte, qui vous donnent envie de faire une photo. Mais il manque quelque chose. Il manque à la scène une silhouette humaine pour qu'elle soit complète. Placez-vous de manière à cadrer le mur comme il vous plaît et décidez à quel endroit exactement vous voulez votre personnage. Puis attendez. Une personne passe dans le plan du film, mais trop près de vous. Une autre arrive, mais ses vêtements ne sont pas de la bonne couleur. La troisième marche dans le mauvais sens. La suivante vous voit et s'arrête pour ne pas vous déranger. Enfin, quelqu'un apparaît à la distance idéale, allant dans la bonne direction, vêtu de couleurs complémentaires à celles du mur. Quand il arrive à l'endroit que vous avez déterminé, c'est là l'instant décisif.

Quand une scène fait intervenir beaucoup de monde, un lieu vaste, différents types de lumières – ce qui est souvent le cas dans la rue –, il faut beaucoup de réflexion, de temps et de patience pour saisir un moment qui présente un intérêt visuel et exprime un message.

Point pratique

Faites preuve de patience. Les scènes de rue changent au millième de seconde près. Trouvez un endroit qui vous plaît, mettez-vous à l'aise et attendez que les pièces du puzzle s'assemblent.

Jodi Cobb, photographe du NATIONAL GEOGRAPHIC

Anticiper l'action

Pour saisir l'instant décisif, vous devez en général être capable d'anticiper le comportement des autres. Le bon photographe sportif prévoit le moment où le joueur de basket-ball va tirer. Le bon photographe de faune sait quand le léopard s'apprête à bondir. C'est ainsi que l'un fait une photo du ballon quittant le bout des doigts et l'autre une photo du léopard saisi comme en plein vol.

Quand vous photographiez des gens, il est important de les connaître assez bien pour anticiper ce qu'ils vont faire. Si vous attendez pour voir, ce sera trop tard.

L'essentiel, c'est d'observer les gens attentivement. Votre appareil doit toujours être prêt. Si vous allez photographier une situation donnée, réglez l'ouverture et la vitesse d'obturation afin de ne pas avoir à vous en occuper au moment de prendre vos clichés. Regardez les gens à travers le viseur. Si vous faites attention, vous sentez ce qui va arriver.

Pensez toujours à ce que votre sujet va faire. La photographe, en train de faire des prises de vue dans la rue à New York, a remarqué un groupe de pères Noël qui se dirigeait vers une station de métro et a couru au-devant pour faire cette photo.

William Albert Allard, photographe du NATIONAL GEOGRAPHIC

Quand vous photographiez des gens entre eux ou avec des animaux, observez leur comportement et imaginez ce qu'ils pourraient faire pour exprimer la nature de cette relation. En attendant que cette scène évolue, le photographe a été en mesure de saisir ce moment entre le jeune cow-boy et son cheval.

Anticiper les rapports humains

Pour photographier des gens, il est assez important de comprendre la nature humaine et de savoir comment les gens réagissent en général dans certaines situations. Un client dans un café lèvera les yeux à l'approche du garçon. En général, les gens sourient quand ils voient un bébé ou ouvrent un cadeau. La foule se lève comme un seul homme quand il va y avoir un but. Pensez à la situation que vous photographiez et à la manière dont les gens risquent d'agir. Puis préparez-vous pour ce moment.

Si vos personnages bougent, regardez devant eux pour cadrer et être prêt quand ils « entreront en scène ». Si deux personnes sont sur le point de s'accoster, essayez de repérer l'endroit où ils se retrouveront pour saisir la poignée de main ou l'accolade.

Prévoir comment les gens vont agir les uns par rapport aux autres n'est pourtant pas tout. Vous devez aussi vous montrer capable d'anticiper à la fois les relations émotionnelles et graphiques entre les gens et tous les autres éléments de la scène, les bâtiments, les objets, les zones de lumière et d'ombre.

Une fois encore, pensez aux sentiments que vous inspire cette scène. Qu'est-ce qui vous attire ? Si vous voulez par exemple photographier la cathédrale de Chartres, décidez ce que vous allez en dire. Si la monumentalité de l'édifice vous impressionne, cherchez comment il écrase les figures humaines, réduites à des éléments graphiques au pied du monument. Si, au contraire, vous cherchez à rendre ce que la cathédrale inspire, allez à l'intérieur photographier le regard admiratif d'un visiteur qui lève les yeux vers la grande verrière du transept nord.

Point pratique

Si votre appareil a un moteur, réglez-le sur l'entraînement automatique du film pour prendre une séquence en rafale.

La photographe savait que les gens prient devant le Mur des Lamentations à Jérusalem (ci-contre en bas), mais elle cherchait autre chose. En se tenant à l'écart et en utilisant un grand-angle, puis en attendant les allées et venues des personnages dans son champ, elle a pu saisir le mouvement (ci-contre en haut).

Annie Griffiths Belt (photos ci-dessus)

Annie Griffiths Belt

Cherchez des motifs et des éléments qui brisent la monotonie. En utilisant
des téléobjectifs, les photographes de ces deux images ont pu isoler les motifs
inhérents à leur sujet et les renforcer en intégrant un élément différent.
Remarquez aussi que tous les deux ont décentré l'élément contrastant.

Robert Caputo

Les motifs

Les motifs, lignes et autres éléments graphiques peuvent mettre en valeur le message et le sentiment véhiculés par la photo ou constituer le sujet de l'image. Que vous vous promeniez dans la rue, sur un marché ou sur une plage, restez à l'affût de tout élément.

La répétition étant en général le motif le plus évident (et le plus photographié), cherchez des formes, des couleurs et d'autres éléments graphiques qui se répètent. Mais ne vous limitez pas aux objets, regardez aussi les formes créées par les ombres et les lumières.

Vous pouvez vous servir de motifs pour guider le regard du spectateur vers votre sujet, comme nous l'avons indiqué plus haut. Vous pouvez faire ressortir votre sujet en soulignant sa différence par rapport au reste du motif ; c'est celui qu'on remarque dans une foule. Ou bien vous pouvez vous servir des formes des êtres humains à l'intérieur du cliché comme d'un élément en soi.

Point pratique

Quand vous regardez dans votre téléobjectif, balayez la scène pour chercher des motifs. Si vous avez un zoom, essayez différentes longueurs focales.

Les instantanés avec consentement

Les instantanés cherchent à être des images prises sur le vif montrant des gens affairés qui ne semblent pas avoir remarqué l'appareil et le photographe. Cela donne des images qui se situent davantage vers l'extrémité objective du continuum objectif/subjectif bien qu'aucune photo réalisée par un être humain ne puisse, bien sûr, être complètement objective. Les instantanés pris avec le consentement du sujet, quand le photographe s'intéresse vraiment à lui et que le sujet a conscience de cet intérêt, sont très différents.

Les photos enregistrent la relation entre le photographe et son sujet. Quand il y a un accord réciproque, la relation peut être soit évidente (le sujet regardant directement dans l'appareil), soit plus subtile, c'est-à-dire sous-entendue pour que l'image semble plus intime. Nous sentons alors que le pho-

tographe était proche physiquement de son sujet qui, de son côté, savait qu'on le photographiait.

Intéressez-vous à votre sujet

La première chose à faire, c'est d'établir le contact avec votre sujet. C'est là que nous devons tous apprendre à dépasser notre timidité et à aborder les gens d'une manière franche et amicale. Déclarez sans ambages qui vous êtes et ce que vous faites.

Ne débarquez pas sans prévenir en mitraillant tout le monde. En fait, il est souvent plus judicieux de laisser votre appareil dans la sacoche quand vous vous approchez d'un groupe ou d'une personne, afin de ne pas les effrayer. Prenez le temps d'engager la conversation avec la personne, comme vous le feriez si vous n'aviez pas d'appareil photo.

Si votre attention a été retenue et que vous vous êtes arrêté devant cette personne ou ce groupe, il y a une raison ; donc, vous éprouvez déjà de la curiosité envers eux et ce qu'ils font. Faites-leur part de cette curiosité. Presque tout le monde est flatté quand un inconnu leur montre un intérêt réel, et vous découvrirez que la plupart des gens s'expriment volontiers. Au bout d'un moment, vous pourrez demander à ces gens s'ils veulent bien que vous les preniez en photo. Si vous approchez votre sujet en y mettant les formes, il est rare qu'il refuse.

Si vous avez peu de temps, ou si la personne est occupée à autre chose, allez droit au but en vous exclamant par exemple : « C'est le plus gros potiron que j'aie jamais vu ! » Expliquez brièvement ce que vous voulez faire et pourquoi. Si la personne refuse, poursuivez votre chemin – il y a bien d'autres sujets à photographier. Si les photographies sont des témoins de la relation entre le photographe et son sujet, vous n'en ferez pas de très bonnes en allant contre la volonté de vos modèles.

Une photographie témoigne de la relation entre le sujet et le photographe. Ces deux images ont donné de bons résultats parce que les sujets, la femme souriante et la petite fille timide, reflètent leur bon contact avec le photographe et donc nous, les spectateurs. Ces réactions ne sont possibles que si vous vous montrez amical et engageant.

Bruce Dale (à gauche et ci-dessus)

Souvenez-vous de la règle d'or. Pensez à ce que vous éprouveriez si quelqu'un s'approchait de vous pour vous prendre en photo. Vous réagiriez en fonction de leur attitude.

Une fois que vous avez la permission, c'est à vous de voir à quel point vous voulez vous engager dans la scène. Voulez-vous rester à l'écart des spectateurs et photographier un groupe de danseurs ou préférez-vous vous mêler à la foule ? Voulez-vous faire des photos d'une manifestation qui passe devant vous ou allez-vous la rejoindre ? Un petit truc : les gens réagissent souvent mieux aux photographes quand ils voient que ceux-ci sont prêts à faire les idiots aussi.

Quand vous avez enfin accès à une situation, tirez-en le meilleur parti. Souvent complexes, elles offrent un nombre infini de possibilités de photos. Pensez soigneusement aux aspects que vous souhaitez montrer et ne lâchez pas avant d'y être parvenu. Ces trois images ne sont qu'un échantillon de ce que le photographe a réalisé sur ce corps de ballet.

William Albert Allard, photographe du NATIONAL GEOGRAPHIC (à gauche et ci-dessus)

Les contacts avec des civilisations étrangères

Documentez-vous le plus possible avant de partir, c'est l'une des clefs du succès pour photographier des habitants de pays lointains. Renseignez-vous auprès des gens qui ont déjà fait le voyage afin qu'ils vous donnent des conseils. Demandez-leur si la photographie est frappée par des tabous, et si oui, de quelle nature.

Une autre clef pour réussir, c'est le respect des coutumes locales et des différentes réactions suscitées par votre appareil. Apprenez quelques phrases simples dans leur langue pour être au moins capable de dire bonjour et de demander si vous pouvez les prendre en photo.

Certains n'ont aucun problème avec la photographie, et vous devez les traiter avec autant de courtoisie et de respect que les habitants de votre pays, en les abordant et en leur demandant la permission. Ailleurs, vous vous heurterez à des objections concernant certaines personnes ou certains groupes.

Les objections peuvent avoir des motifs religieux. Parfois, les gens ont l'impression que vous voulez vous moquer d'eux, ou montrer au monde entier leur pauvreté ou d'autres aspects de leur vie. Certains peuples croient que quand vous faites une image d'eux, vous leur volez leur âme ou que, d'une certaine manière, vous leur prenez quelque chose.

Ils ont tout à fait raison. Les photographes disent bien qu'ils saisissent la personnalité ou l'esprit d'une personne ou d'un lieu. Nous prenons bien quelque chose, en effet, et nous en profitons. Respectez toujours les sentiments et les croyances des gens. Il y a aussi à cela des raisons égoïstes : vous ne voulez pas vous faire rosser ni finir en prison ! Surtout, les hommes sont toujours plus importants que les photographies. Vous ne voulez pas offenser ces gens, ce qui sera le cas si vous agissez contre leurs croyances profondes. Qui plus est, les photos ne seraient sans doute pas très bonnes.

Les portraits de représentants d'autres cultures doivent remplir une double fonction : faire avec honnêteté la part de l'exotisme tout en donnant une idée de notre humanité commune. Cette photo saisit bien ces deux idées, grâce au sourire de l'homme et au regard direct de l'enfant.

Robert Caputo

Quand vous voulez prendre des photos, montrez-vous amical et courtois. La petite fille ci-dessus était heureuse d'être photographiée parce que j'avais passé du temps avec elle avant de sortir mon appareil. J'ai pris la photo ci-dessous avec un objectif de 300 mm pour ne pas déranger ni la femme ni le chien.

Robert Caputo (en haut et ci-dessus)

Il existe des moyens de contourner les tabous. Si vous passez suffisamment de temps avec les gens, vous découvrirez souvent qu'ils veulent bien vous laisser les photographier, dans certaines conditions – et s'ils vous apprécient.

Je me souviens de quelques jours passés dans un village où vivaient des musulmans très pieux. À mon arrivée, je n'eus pas la permission de photographier les femmes. Comme j'ai respecté cet interdit et que je suis resté assez longtemps, que je me suis montré ouvert et amical, j'ai été bien reçu dans plusieurs des tentes et j'ai passé la plupart du temps dans l'une d'elles en particulier. Le dernier jour, les femmes ont envahi cette tente, se sont assemblées autour de moi et ont insisté pour que je les prenne en photo.

Là où le tourisme est bien implanté, vous vous rendrez compte que les habitants ont tout à fait l'habitude des étrangers qui veulent photographier tout ce qu'ils voient. Dans ces pays, on vous laisse en général prendre des clichés de ce qui vous plaît, même si c'est parfois un peu contre les mœurs locales.

On peut vous demander de payer pour photographier certaines personnes. Je vous conseille d'accepter. En voyage, vous payez vos cartes postales, alors pourquoi pas les photos que vous faites ? En général, ce n'est pas une grosse somme pour vous mais peut-être une aubaine pour la personne que vous voulez photographier. De toute façon, si vous ne voulez pas payer, vous pouvez continuer votre chemin.

Quand vous consacrez du temps à des personnes et que vous les photographiez, il faut toujours que ce soit une situation qui profite à tout le monde. L'expérience doit être amusante et enrichissante pour vous comme pour votre sujet.

Dans la plupart des cultures traditionnelles, les gens veulent faire plaisir à leurs hôtes et vous découvrirez qu'ils peuvent s'écarter de leurs principes pour vous aider à réaliser ce que vous désirez. N'oubliez pas que vous êtes l'ambassadeur de votre civilisation et des photographes. Laissez un bon souvenir.

Point pratique

Si vous voyagez à l'étranger, apprenez au moins quelques phrases de la langue locale. Vous serez bien accueilli, ce qui vous permettra de mieux photographier et de vivre une expérience plus enrichissante.

CARY WOLINSKY
À la recherche de l'esprit humain

RACONTER DES HISTOIRES, voilà la passion de Cary Wolinsky. Il a commencé à travailler comme reporter et photographe de magazine pour le *Boston Globe* alors qu'il était étudiant à l'École de communication de l'université de Boston et, dès 1972, il travaillait en free-lance pour de grands magazines américains.

Sous contrat avec NATIONAL GEOGRAPHIC depuis le milieu des années 1980, il remplit des missions qui l'ont envoyé presque partout dans le monde.

Comme presque tous les photographes de NG, Cary Wolinsky pratique toutes sortes de photographies, mais il accorde une place spéciale à l'image humaine.

« Photographier des gens, c'est tout à fait différent du reste, nous dit-il. Quand vous faites des paysages ou d'autres types de photos, vous recherchez quelque chose qui présente un intérêt symbolique ou graphique. Avec les gens, vous vous intéressez à autre chose, vous essayez d'entrevoir l'esprit humain. Je sais que j'ai réussi une photo quand il y a un moment spécial – le frisson que fait naître une relation entre un être humain et un autre. »

Qu'il travaille près de chez lui aux environs de Boston, en Inde, en Australie, en Chine ou ailleurs, Cary Wolinsky recherche toujours la même chose :

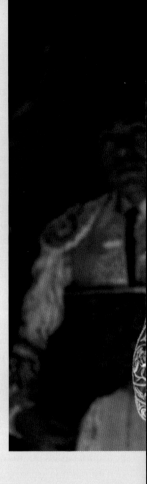

Le photographe Cary Wolinsky (à gauche) a voyagé dans le monde entier pour NATIONAL GEOGRAPHIC, réalisant les photographies d'articles sur des sujets comme la soie, la couleur et l'histoire de l'écriture, dont chacun demandait

une bonne dose d'imagination et de créativité. Sur la photo ci-dessus, la douce lumière reflétée par le sol ajoute une touche dramatique au portrait de ce matador ' mexicain qui s'apprête à faire son entrée dans l'arène pour son 500ᵉ combat.

« Pour que les portraits fonctionnent, il faut qu'ils provoquent une émotion chez le spectateur. Vous pouvez avoir une image magnifique – intérêt graphique, belle lumière, composition parfaite – mais s'il lui manque la relation humaine, elle ne résonnera pas, elle sera vide. Les photos d'êtres humains doivent viser ce qui est universel dans la condition humaine. Chaque personne a son histoire. Notre job, c'est de la mettre en image. »

« J'aime le corps humain. Revêtu de draperies, que ce soit des tissus non coupés en Inde ou un défilé de haute couture à Milan, il peut se révéler tout à fait ensorcelant. Quand je regarde dans le viseur une personne qui bouge, sa manière de s'in-

Comment dire
« jaune » : alors qu'il
illustrait un article
sur la couleur,
Cary Wolinsky a dû
se servir de son
imagination pour
montrer les couleurs
et leur utilisation.
Choisissant un point
de vue au ras du sol
et un grand-angle,
il a magnifiquement
mis en valeur ces
tissus jaunes qui
sèchent quelque part
en Inde.

tégrer dans la scène, c'est comme une danse à
laquelle je participe. Et pour moi, le visage humain
est l'élément photographique le plus puissant qui
soit au monde. Même si je suis en train de photographier des objets dans un musée, si on me laisse
le choix des œuvres, je choisirai toujours celles qui
représentent le visage humain. »

« Faire des photos est un processus d'évolution,
puisque le visage humain peut changer d'un millième de seconde à l'autre. Les yeux transmettent
énormément de choses, ils peuvent raconter une
grande partie de l'histoire, tout comme le moindre
frémissement de la bouche ou d'un sourcil. Vous
devez vous engager complètement et établir un
contact, pour déceler le bon moment et le saisir. »

Cary Wolinsky est connu pour ses recherches
approfondies et ses préparatifs avant chaque mis-

sion, pour réfléchir sérieusement à son sujet et ima-giner tout ce qu'il peut faire afin d'en saisir le sens. C'est un lecteur vorace, qui dresse de longues listes de clichés à prendre et se concentre sur ce qu'il lui faut pour raconter son histoire.

« Chaque jour offre des milliards de possibilités pour faire des photos, poursuit-il. Vous allez en rater la plupart, c'est inévitable, mais vous voulez au moins en prendre quelques-unes qui vous ren-dent vraiment heureux. L'important, c'est de hié-rarchiser les priorités. Je pense tout d'abord au type d'image que je veux : un portrait rapproché ? Un cliché montrant l'ensemble de la scène ? Ensuite, j'évalue le matériel qui convient et je ne mets dans ma sacoche que l'essentiel. Le photographe doit être à l'aise, léger, plein d'énergie et vif, et non croulant sous le poids de son matériel. »

Mais il ne faut pas qu'une préparation et des recherches minutieuses vous empêchent de rester ouvert à la complexité des situations qui évoluent ou à un hasard heureux.

« Quand vous faites des photos dans la rue ou des portraits de quelque sorte que ce soit, vous devez rester à l'affût, car vous ne savez jamais ce qui se présentera. Je passe beaucoup de temps à me pro-mener et puis je remarque un détail d'une scène, je m'arrête et je me demande ce qui m'a frappé. C'est peut-être un visage, une activité, la relation entre deux personnes, n'importe quoi. Je prends mon appareil dans les mains pour isoler cet élément, puis je me déplace pour mieux l'harmoniser avec ce qui présente un intérêt graphique. Je sais que j'ai trouvé mon sujet, mais les photos doivent tenir compte de l'aspect graphique pour offrir une vitrine à travers laquelle le spectateur peut accéder au fragment d'histoire humaine qui se trouve de l'autre côté. »

Cary Wolinsky conseille aux photographes d'étu-dier le travail des autres et de s'entraîner inlassable-ment. « Si vous pensez à votre matériel en prenant des photos, c'est que vous ne le connaissez pas assez bien. »

Et gardez du temps libre pour la photo. « Pour aller au-delà de la photographie moyenne, vous devez vous impliquer totalement. Vous devez vous concentrer entièrement sur l'acte qui consiste à fabriquer une image, ce qui fait appel à toutes vos capacités techniques et à votre expérience de la vie. Et, bien sûr, le plus facile, c'est de vous consacrer aux sujets qui vous rendent heureux. Voyez ce que vous aimez le plus photographier, puis allez-y et faites vos images. Le spectateur partagera le plaisir que vous aurez eu à les faire. »

Le portrait de cette femme musulmane est encadré par des éléments d'architecture. Essayez d'imaginer à quel point cette image serait différente sans la petite fille au fond qui semble contempler son probable avenir de femme.

Les conseils de Cary Wolinsky

- Partez marcher : cherchez des endroits intéressants, de bons points de vue et imaginez ce que sera la lumière. Prenez des notes pour savoir quand revenir.

- Si vous souhaitez photographier dans la rue, soyez aimable et demandez la permission. Pour prendre des clichés sur le vif, participez à une activité qui occupe trop les participants pour qu'ils s'en rendent compte. Ce sont d'excellentes situations pour s'entraîner.

- En voyage, réservez du temps à la photographie. Faire des images est un but en soi, non le fruit du hasard.

- Ne portez pas de lunettes de soleil quand vous photographiez. Pour que votre photo soit intéressante, il faut ce contact entre les regards. Les lunettes de soleil vous donnent un aspect menaçant et étrange. De plus, elles vous empêchent de voir les couleurs réelles de la scène. Portez des vêtements adaptés au lieu où vous vous trouvez.

- Si les gens vous réclament de l'argent, et si c'est la coutume, ne refusez pas. Cette relation doit profiter à tout le monde. Mais vous pouvez envisager d'emporter des petits cadeaux plutôt que de l'argent.

- Si vous voulez prendre des clichés sur le vif sans être vu, trouvez un coin discret. Vous pouvez vous mettre dans une boutique et regarder par la porte ou choisir un point de vue à l'écart.

- Prenez un accessoire pour extraire les films. Si vous faites des prises de vue aussi bien en intérieur qu'en extérieur, vous devrez sans doute changer de type de film avant d'avoir terminé le rouleau. Rembobinez le film, notez le numéro du cliché sur le boîtier puis, quand vous revenez à l'intérieur, tirez l'amorce pour utiliser le reste du film.

LE MOUVEMENT CONTRIBUE pour beaucoup à nous donner une idée de ce que sont les sujets. Le thème du sportif nous vient tout de suite à l'esprit, mais il peut s'agir aussi bien d'un homme marchant dans la rue ou d'un enfant glissant sur un toboggan.

En photo, vous avez trois solutions pour montrer le mouvement : vous pouvez le figer, faire un effet de flou ou un filé. Chacune d'elles, qui rend une idée différente, correspond à une technique précise. Pour apprendre ces techniques, le mieux est de les essayer. Postez-vous au coin d'une rue et photographiez les passants et les voitures en les figeant. Ensuite, essayez de réaliser une image floue, puis un filé. Jouez sur les vitesses d'obturation. Prenez des notes et comparez les résultats pour voir ce qui convient en fonction de la situation.

Figer l'action

Pour figer quelqu'un en pleine action, choisissez une vitesse d'obturation rapide. Cette vitesse dépend de ce que vous faites ; vous pouvez figer un passant à 1/125 de seconde, mais il vous faudra peut-être 1/1000 de seconde pour un joueur de tennis faisant un smash. Réfléchissez à la nature de l'action, puis déterminez la vitesse d'obturation qui convient.

Figer l'action *induit* l'action au lieu de la montrer. Il n'y a pas de véritable mouvement dans la photo, mais nous comprenons, en voyant quelqu'un une jambe devant l'autre et un pied en l'air, qu'il marche ou qu'il court, parce qu'en général les gens ne se tiennent pas comme ça. Nous savons que le plongeur

Mehmet Biber

vient de quitter le plongeoir, parce qu'une personne normale ne s'amuse pas à rester en l'air de la sorte.

Réfléchissez à ce que vous essayez de dire avec votre photo. Le figé ne convient pas forcément à toutes les situations. Si vous faites une photo d'une voiture de course roulant à 250 km/h et que vous figez à 1/2000 de seconde, la photo ressemblera à ce que donnerait cette voiture à l'arrêt sur la piste. Si vous voulez vraiment du mouvement, il faut que le sujet ou l'appareil semble bouger. Utilisez une technique différente ou cherchez un autre élément qui donne

Isolant un seul sujet statique, le photographe s'est servi d'une faible vitesse d'obturation et a immobilisé l'appareil pour réaliser cette image fabuleuse du mouvement. L'homme assis, décentré, devient un élément essentiel du cadrage.

Bruce Dale

Figés avec une vitesse d'obturation rapide, le cow-boy, son cheval et la vache prise au lasso semblent immobilisés. La poussière soulevée dans le feu de l'action forme un fond idéal sur lequel se détache le trio. Sur ce type de photos, nous déduisons l'action des positions inhabituelles des sujets.

une idée de la vitesse – des éclaboussures d'eau ou un nuage de sable par exemple.

Comme pour figer il vous faut en général une vitesse d'obturation rapide, vous travaillerez avec une profondeur de champ réduite. Soignez la mise au point. Et apprenez à anticiper. Si votre sujet se déplace rapidement, vous devez prévoir où il se trouvera quand vous appuierez sur le déclencheur. Si votre sujet est rapide, il risque d'avoir dépassé le plan du film au moment de l'exposition, aussi laissez-lui un peu d'espace dans la direction vers laquelle il se dirige. Pensez toujours à la composition et à la place du sujet sur le cliché. Si vous avez un reflex, vous ne verrez pas le moment enregistré, parce que le miroir se relève pour laisser passer la lumière qui impressionne le film.

Le flou

Pour rendre l'action avec un effet de flou, vous avez deux techniques. Immobilisez l'appareil pour qu'il ne bouge pas et choisissez une vitesse d'obturation lente si le sujet se déplace trop vite pour que vous puissiez le figer à cette vitesse d'obturation. Ou bien, sélectionnez une vitesse d'obturation lente et bougez volontairement l'appareil pour que toute l'image soit floue.

Dans le premier cas, si seul le sujet bouge et que le reste est stationnaire – un coureur qui passe devant un mur, par exemple –, seul le sujet sera flou. Il se détachera sur le fond immobile. Vous pouvez photographier une voiture de course passant à toute allure devant une foule en choisissant une vitesse d'obturation qui vous donne un bolide flou mais des spectateurs nets à l'arrière-plan. Le flou obtenu dépend de la lenteur de la vitesse d'obturation et de la rapidité du sujet en mouvement. Si le flou est excessif, on ne reconnaîtra pas le sujet. Ce qui peut marcher, d'ailleurs.

Pour mettre en valeur le sujet, vous pouvez aussi faire juste le contraire. Demandez à une amie de se tenir immobile à un carrefour. Photographiez-la à une faible vitesse d'obturation, afin que tous les autres passants soient flous, pour la faire ressortir par contraste. Pour photographier à une vitesse inférieure ou égale à 1/30 de seconde, il vous faut un trépied ou un support quelconque pour l'appareil.

Grâce à la lenteur de la vitesse d'obturation, le photographe a imaginé des cercles lumineux avec ces danseurs et leurs torches. Essayez plusieurs vitesses d'obturation dans des situations comme celle-ci, afin d'être sûr de faire au moins un bon cliché.

Jodi Cobb, photographe du NATIONAL GEOGRAPHIC

David Alan Harvey

Ayant remarqué cette écolière qui attendait son train, le photographe s'est servi d'une vitesse d'obturation lente pour obtenir un personnage parfaitement net devant un train flou. Quand le sujet aussi bien que l'arrière-plan sont en mouvement, comme sur cette photo de kayak, à droite, choisissez une vitesse d'obturation lente pour obtenir un effet impressionniste.

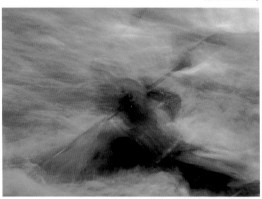

Chris Johns, photographe du NATIONAL GEOGRAPHIC

Si vous bougez volontairement l'appareil pendant que l'obturateur est ouvert, tout sera flou sur le cliché. L'intensité du flou dépend de la vitesse d'obturation et de votre mouvement. Vous pouvez bouger l'appareil comme vous voulez, vers la gauche, la droite, le bas, le haut, l'intérieur, l'extérieur ou faire un mouvement circulaire. Chacun de ces mouvements vous donnera un effet différent, et le seul moyen de voir cet effet, c'est de vous entraîner.

Le filé

Pour réaliser un filé, bougez l'appareil en suivant le mouvement du sujet afin qu'il reste à la même place sur le plan du film. La vitesse à laquelle vous déplacez l'appareil dépend de celle du sujet, ainsi que de son éloignement et de son angle par rapport à vous. Il est très facile de faire un filé sur une personne qui marche. Avec un bolide, il faut un peu de pratique.

Le résultat d'un filé, c'est un personnage net sur un fond flou, ce qui rend l'idée du mouvement et de la vitesse. Si l'arrière-plan est seulement un peu flou, nous avons l'impression que la vitesse est assez réduite. S'il est très flou, nous sentons la vitesse. La vitesse d'obturation et la rapidité du filé vont déterminer l'intensité du flou de l'arrière-plan.

Tout d'abord, si vous voulez effectuer un filé, voyez où vous allez faire votre cliché. Regardez le chemin que va emprunter votre sujet en action, et trouvez le cadre dans lequel vous voulez le placer. Placez-vous face à cet endroit, comme si vous alliez prendre la photo. Mettez au point et réglez l'exposition sur la vitesse d'obturation qui vous donnera le mouvement que vous souhaitez, puis tournez le haut du corps vers le trajet qu'empruntera le sujet, en laissant vos pieds tournés vers le point final. Pour votre corps, il est plus facile et plus normal de retrouver une position confortable en partant d'une position inconfortable que le contraire.

Quand le sujet apparaît dans le viseur, commencez à le suivre, en essayant de le garder à la même place sur le plan du film. Déclenchez l'obturateur tout en vous tournant vers l'endroit que vous avez déterminé, mais continuez à pivoter. Si vous avez un reflex, vous ne pourrez pas voir le sujet au moment de l'exposition, mais il ne faut pas que cela vous arrête. Pour rendre l'action dans toute sa fluidité, poursuivez votre mouvement de filé jusqu'à ce que vous puissiez de nouveau voir le sujet.

Point pratique

Entraînez-vous près de chez vous. Allez dans la rue et faites des clichés figés, flous ou filés des voitures qui passent.

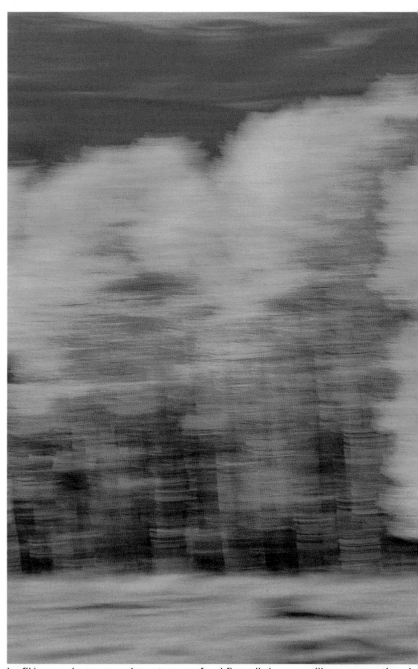

Le filé vous donne un sujet net sur un fond flou, d'où une meilleure perception de

Robert Caputo

la rapidité de l'action. Le téléobjectif a accentué le flou des arbres de l'arrière-plan.

Flou, filé et figé au flash

Pour restituer le mouvement en photo avec une efficacité garantie, il existe une technique qui consiste à faire un flou ou un filé sur un sujet puis à le figer avec la lumière du flash électronique. Sur ce type de cliché, vous avez à la fois le détail de la photo figée et le mouvement de l'image floue.

Réglez la deuxième synchronisation de votre flash sur le rideau de l'obturateur, afin qu'il se déclenche juste avant que l'obturateur se ferme et non après son ouverture. Cette technique vous donne une trace floue qui s'achève sur le sujet figé, ce qui est en général plus dynamique que si vous utilisez le flash au début. Réglez la vitesse d'obturation sur 1/30 ou moins, en fonction du type d'action, de l'importance de la lumière ambiante et de la trace floue que vous désirez.

Pour réaliser un flou/figé, immobilisez l'appareil (avec un trépied si nécessaire), appuyez sur le déclencheur et laissez l'action se dérouler jusqu'à ce qu'elle soit figée à la fin de l'exposition. Si vous bougez l'appareil pour produire l'effet de flou, pensez au genre de mouvement que la photo doit rendre. Tant que l'obturateur est ouvert, vous pouvez pencher l'appareil

Flash direct et mouvement avec flash : la photo de gauche, réalisée avec une vitesse d'obturation rapide, fige la femme qui sort de la limousine. À droite, en ralentissant la vitesse d'obturation et en déclenchant le flash à la fin de l'exposition, le photographe a complètement transformé l'impression qui se dégage de l'action.

David Alan Harvey (à gauche et ci-dessus)

William Albert Allard, photographe du National Geographic

vers le haut ou le bas, la gauche ou la droite, ou même le faire tourner. Appuyez sur le déclencheur, puis bougez l'appareil comme vous l'avez décidé jusqu'à ce que le flash se déclenche et que l'obturateur se ferme. Pour faire un filé/figé, appuyez sur le déclencheur et « filez » le sujet jusqu'à ce que le flash se déclenche.

Dans tous ces cas de figure, quand vous allez chercher votre film développé, c'est comme si vous ouvriez une pochette surprise : vous ne savez jamais vraiment ce qui vous attend. À cause du laps de temps qui s'écoule entre le moment où vous appuyez sur le déclencheur et l'éclair du flash, vous ne pouvez pas savoir où le sujet sera à cet instant. Si vous travaillez avec un reflex, vous ne pouvez rien voir dans le viseur pendant toute la durée de l'exposition.

Livrez-vous à toutes sortes d'expériences. Essayez différentes vitesses d'obturation, aussi bien avec une lumière forte qu'un éclairage faible, et tenez toujours compte de la lumière ambiante et de sa restitution. Prenez des notes pour voir ce qui marche.

Ne réservez pas le flash aux scènes sombres. Sur cette photo, pour figer la femme qui monte l'escalier, il a suffi de régler sur 1/60 de seconde. Grâce au flash, le photographe a pu réaliser cette image fantomatique du jeune homme passant sur son scooter. Pour montrer le mouvement, faites appel à votre imagination.

.

D E MÊME QUE LES AUTRES GENRES EN PHOTOGRAPHIE, le portrait se doit à la fois de montrer une personne et de la raconter. Il se doit de saisir l'esprit et la personnalité du modèle, aussi bien que ses traits. Vous ne faites pas une image d'un mannequin : votre photo doit être animée par le caractère de la personne.

Quand nous regardons un bon portrait, que ce soit un tableau ou une photo, nous nous faisons une idée de la personnalité du modèle. Dans un portrait qui se limite à la tête, le photographe y parvient presque entièrement avec l'expression du visage, l'éclairage et l'arrière-plan renforçant la sensation que vous essayez de faire passer. Dans un portrait plus global – portrait en pied ou en situation –, tout ce qui apparaît sur le cliché doit renforcer le message que vous essayez de communiquer sur la personnalité du sujet. Regardez attentivement dans le viseur pour être sûr que rien ne vient jeter une note discordante.

La première étape – la plus importante – consiste à faire la connaissance de votre sujet. S'il s'agit de quelqu'un que vous connaissez déjà, vous pouvez passer à l'étape suivante et réfléchir à l'aspect de sa personnalité que vous souhaitez révéler. Si vous photographiez un étranger, passez un peu de temps à bavarder ensemble avant de commencer les prises de vue. Si vous travaillez en studio, prenez le temps de boire un café ensemble ou de manger quelque chose avant de vous mettre au travail. Montrez d'autres portraits que vous avez faits, racontez des blagues pour voir s'il a le sens de l'humour, parlez de l'actualité, demandez-lui quel est son passe-temps favori,

Éclairé par une lumière douce et égale, avec une grande profondeur de champ, ce portrait en gros plan nous donne une idée de cette femme sans qu'aucun détail ne vienne nous distraire. L'effet est renforcé par les cheveux tirés en arrière et donc éliminés aussi. Quand vous faites des portraits, pensez à ce que vous voulez dire de cette personne et servez-vous de la lumière et de la composition pour vous aider.

Jodi Cobb,
photographe
du NATIONAL GEOGRAPHIC

parlez-lui des vôtres – trouvez n'importe quoi pour rompre la glace. Vous essayez de vous faire une idée de sa personnalité pour savoir ce que vous allez en restituer, et la seule manière de le faire, c'est de gagner sa confiance. Votre sujet doit s'ouvrir pour que vous puissiez faire un portrait vraiment révélateur.

Si vous êtes dans la rue, vous aurez peut-être envie de faire des portraits de personnes rencontrées par hasard. Quelque chose en elles vous attire, les isole des autres passants et vous incite à les choisir pour sujets. Qu'est-ce que c'est ? Leurs yeux ? Leur

Ces deux images font naître des sentiments tout à fait différents. Pensez à la personne et à la situation que vous photographiez et décidez ce qui doit être montré ou éliminé. Tout ce qui figure sur l'image doit avoir une raison d'être là.

Robert Caputo (à gauche et ci-dessus)

sourire ? Leur visage buriné ? Décidez ce qui vous attire, comment ce trait reflète leur personnalité et comment vous pouvez le saisir. Voyez si le meilleur moyen est la discrétion ou, au contraire, le contact.

Que vous fassiez un portrait classique ou non, pour découvrir comment photographier votre sujet, vous avez intérêt à le regarder, à l'écouter et à penser à lui. Une photo du visage d'Albert Einstein produit du sens à elle seule. Ce qui n'est pas forcément le cas avec un visage inconnu.

Étudiez des ouvrages sur le portrait, aussi bien peint que photographié. Réfléchissez aux moyens employés par les artistes pour parvenir à leur but qui est de communiquer le caractère d'une personne. Soyez attentif à l'ambiance, à la pose du personnage, aux nuances de l'éclairage, aux autres éléments représentés. Appliquez ces techniques dans votre travail personnel. Nous avons tous quelque chose à apprendre des efforts accomplis par les autres.

Et entraînez-vous. Faites des portraits classiques ou décontractés des membres de votre famille. Faites des formats identité, des portraits classiques en pied, des portraits spontanés dans toutes sortes de contextes, des portraits en situation. Et ne vous arrêtez pas là.

Les portraits classiques

Le format identité

Un cliché qui montre la tête seule permet de juger de la personnalité du modèle. Aucun autre élément sur la photo ne vient détourner l'attention du spectateur. Ce type de photographie est celui qui va le plus loin. Pour le réussir, vous devez mettre votre sujet en confiance, pour qu'il ne soit plus sur ses gardes, et qu'il se détende et se révèle.

Les yeux sont vraiment les fenêtres de l'âme. Quand nous rencontrons des gens, la première chose que nous regardons, ce sont leurs yeux. Il en va de même avec un portrait. L'expression des yeux

Point pratique

Si vous faites beaucoup de portraits, essayez les films négatifs en couleur pour portraits, qui rendent les tons de la chair plus fidèlement.

– gaieté, sérieux, tristesse – donne le ton de l'image, aussi faites bien attention à la saisir. Les yeux doivent être bien nets, même si le reste du visage ne l'est pas. Si vous photographiez avec une faible profondeur de champ, mettez au point sur les yeux. L'œil du sujet le plus près de l'appareil est le plus important.

Comme nous l'avons signalé au début de ce chapitre, prenez le temps de faire la connaissance de votre sujet. Une fois que vous avez déterminé chez la personne le caractère que vous voulez saisir, réfléchissez aux meilleurs moyens d'y parvenir. Le rapport entre le visage de votre sujet et l'appareil mérite qu'on s'y arrête.

Certaines personnes produisent un meilleur effet quand elles sont photographiées de face, les yeux fixant l'objectif. C'est le type de portrait le plus direct, celui qui exige le plus d'effort de votre sujet. Il n'est pas facile d'établir un rapport avec un morceau de verre, et encore moins de projeter sa personnalité à travers cet accessoire. Quand nous regardons des portraits de ce genre, nous sentons un contact direct avec le sujet.

Un portrait de trois quarts, le sujet détournant la tête de l'appareil, est moins direct. En général, le sujet regarde ailleurs, et les conventions nous font lire certaines émotions dans ce type de portrait. Si la personne regarde vers le haut, nous lui prêtons des pensées élevées. Si elle dirige son regard vers le bas, nous y voyons une attitude pensive.

Les profils sont des portraits possédant une puissante qualité graphique. Privés d'un contact direct avec le sujet, nous nous intéressons au caractère de son visage et à la ligne formée par le profil.

Ces trois poses de base permettent des variations à l'infini. Le sujet peut regarder l'appareil en levant ou baissant les yeux, ou contempler le lointain. Vous pouvez faire un portrait de trois quarts mais avec un sujet qui regarde l'appareil. Dans un profil, le sujet peut fermer les yeux. Quel que soit le type

Point pratique

Poudrez le visage pour effacer les brillances liées à la transpiration.

Le portrait de ce petit garçon est mis en valeur par la forte lumière qui l'éclaire latéralement, mais grâce à son expression et au bonnet rouge, l'image n'est pas triste. L'excellent contact entre le photographe et le sujet nous donne la chance de contempler le regard franc de l'enfant.

William Albert Allard, photographe du NATIONAL GEOGRAPHIC

de portrait, il peut pencher la tête ou poser une main sous le menton ou sur la joue.

Si vous voulez que votre sujet soit souriant, racontez-lui des blagues tout en le photographiant. Si vous préférez une expression pensive, demandez-lui de vous raconter quelque chose qui l'a rendu pensif. Tout en photographiant, ne cessez pas d'entretenir ce contact. Pour cela, fixez l'appareil sur un trépied, cadrez et quittez votre poste d'observation derrière l'appareil pour que la personne puisse vous voir. Pour photographier sans regarder dans le viseur, servez-vous d'un déclencheur à distance.

Réfléchissez soigneusement à l'arrière-plan de vos portraits. La plupart du temps, un simple fond coloré suffit. Il ne doit pas détourner l'attention du sujet.

David Alan Harvey

La couleur choisie révèle quelque chose sur la personne : le rouge ne procure pas la même sensation que le gris. Et choisissez un ton qui convienne ; il ne faut pas que la tête du sujet soit perdue dans le fond.

Le portrait en pied

Tout ce que nous avons raconté sur le format identité s'applique aussi au portrait en pied, si ce n'est que vous devez vous occuper de toutes sortes de détails. Vous ne pouvez pas vous concentrer uniquement sur le visage de la personne, puisque son corps, son langage corporel, ses vêtements et l'arrière-plan jouent chacun leur rôle.

Il faut que votre sujet coopère, soit détendu et révèle sa personnalité. Tout le monde éprouve une certaine gêne devant un appareil photo, et c'est d'autant plus vrai qu'il s'agit d'un portrait en pied plutôt que d'un format identité, parce que les gens ne savent pas comment se tenir ou quoi faire de leurs mains. Vous devez les aider à se mettre à l'aise.

Bavardez avec votre sujet avant et pendant les prises de vue, et n'hésitez pas à lui indiquer comment se tenir. C'est vous l'expert et votre sujet vous demandera des conseils et votre avis.

Les gens ont tendance à se mettre sur leur trente et un pour se rendre à une séance de portraits. Si vous souhaitez une séance moins classique, commencez par les photographier habillés tels qu'ils sont arrivés. De toute évidence, ils ont réfléchi avant de choisir ces vêtements, donc ne leur faites pas croire qu'ils ont commis une erreur. Un peu plus tard, vous pouvez leur suggérer de défaire leur cravate ou de tomber la veste.

Pensez à la pose, à ce que le sujet doit faire de ses mains, et à ce que ces détails révéleront sur lui. Le vrai dur, genre entraîneur d'une équipe de foot, regardera directement dans l'appareil, les mains sur les hanches. Une majorette peut poser en tenue de parade, une jambe relevée. Le psychiatre sera assis, les mains croisées sur les genoux.

Le cadre est important dans les portraits en pied. Si vous photographiez en utilisant un fond qui se déroule, ou un autre accessoire de studio, pensez à la couleur et à la manière dont elle influence l'ambiance de l'image. En extérieur, comme sur la photo ci-contre, pensez à la disposition et à la profondeur de champ. En intégrant la tour floue à droite du mannequin, le photographe a rendu sa composition plus dynamique et renforcé la verticalité du cliché.

Robert Caputo (à gauche et ci-dessus)

En format identité, les objectifs grands-angles déforment les traits du visage et vous forcent à vous placer sous le nez du sujet, comme sur la photo de gauche, réalisée avec un objectif de 24 mm. Ils conviennent bien à certains sujets, comme les clowns. La photo de droite a bénéficié d'un 105 mm plus flatteur. Les téléobjectifs courts vous permettent de vous tenir à distance.

Appareil et objectif : le bon choix

La plupart des photographes professionnels de portraits utilisent des appareils moyen format. Grâce au format supérieur des films et des diapos, les détails sont plus précis qu'avec un film de 35 mm et les tonalités sont rendues avec plus de finesse. Sur le terrain, porter ce matériel encombrant présente quelques inconvénients. Mais vous pouvez faire de très bons portraits avec un boîtier de format 135 mm. Rappelez-vous que c'est vous qui prenez la photo, et non l'appareil. Votre matériel est moins important que ce que vous en faites.

Quel que soit le format choisi, il est conseillé d'utiliser, en général, un téléobjectif court pour faire des portraits format identité ou avec le visage et les épaules. Les grands-angles déforment les traits et arrondissent le visage si vous vous en approchez assez pour qu'il occupe tout l'espace du cliché. De plus, vous devez vous placer juste devant le sujet, ce qui risque de le mettre mal à l'aise. En format 135 mm, un objectif entre 75 et 135 mm offre la meilleure solution. Ces objectifs sont flatteurs et vous permettent de vous éloigner.

N'oubliez pas pour autant que les téléobjectifs ont une faible profondeur de champ. Voulez-vous que chaque détail du visage soit parfaitement net, du bout du nez aux oreilles, ou seulement les yeux ? Décidez-vous tout d'abord, puis réglez l'appareil. Ne choisissez pas une vitesse d'obturation inférieure à 1/60 de seconde, sauf si vous voulez un effet de flou. Si vous désirez une grande profondeur de champ, vous pouvez ajouter de la lumière ou utiliser un film plus rapide.

À gauche, l'image a été réalisée avec une seule source de lumière, d'où un effet latéral assez appuyé. Sans réflecteur ou un autre flash électronique, le visage sera tourné vers la lumière pour obtenir une image comme celle de droite.

Robert Caputo (à gauche et ci-dessus)

Bavardez avec la personne tout en la photographiant, pour saisir ses différentes expressions. Les moteurs sont très pratiques pour cet exercice. Ils permettent de saisir l'instant où le modèle est moins nerveux, après que vous l'ayez photographié.

Pour les portraits en pied, choisissez un objectif qui vous permette de photographier tout le corps, mais attention à la distorsion avec les grands-angles – à moins que ce soit l'effet recherché. Le mieux est sans doute de ne pas utiliser un objectif trop long, qui vous force à vous éloigner du modèle, le laissant seul sans personne à qui parler.

Pendant que vous vous préparez pour réaliser ce portrait, vous devez savoir où vous voulez que la personne pose. Choisissez votre arrière-plan et/ou les lieux. Si vous travaillez en intérieur, montez et testez vos spots et vos réflecteurs avant l'arrivée du modèle. Si vous êtes en extérieur, explorez les lieux et installez des éclairages si vous en avez besoin. Il ne faut pas que votre modèle fasse le pied de grue pendant que vous êtes affairé à régler des détails techniques. Vous devez lui consacrer toute votre attention et votre énergie.

Point pratique

Si vous allez utiliser un flash électronique comme lumière principale, faites un essai avant sur votre sujet pour voir la disposition des ombres.

Les angles

Les conventions concernant les angles de prise de vue sont les suivantes : quand vous levez les yeux vers une personne, vous lui conférez puissance, autorité, héroïsme. Quand vous abaissez votre regard sur quelqu'un, vous pensez qu'il est faible ou peu courageux. Plus l'angle est prononcé, plus ces connotations sont appuyées. Les peintres, les photographes et les metteurs en scène se servent de ces conventions depuis bien longtemps pour nous faire mieux sentir le caractère qu'ils dépeignent.

Quel est l'angle le plus approprié pour vos sujets et ce que vous souhaitez en dire ? Si vous photographiez un joueur de basket-ball, vous serez tenté de mettre l'accent sur sa taille. S'il s'agit d'enfants, mieux vaut se mettre à leur niveau.

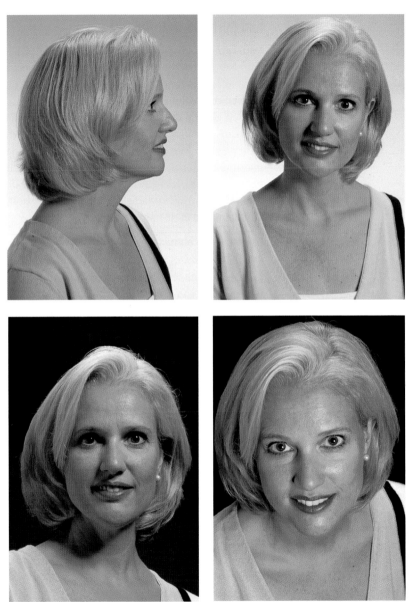

Robert Caputo (toutes)

Ces quatre photos illustrent les effets produits par différents angles de prise de vue. Nous n'éprouvons pas la même impression en contemplant le visage de cette femme de profil, de face, en contre-plongée ou en plongée. Aussi, la lumière et le fond sombre influencent notre manière de percevoir le sujet.

Robert Caputo

La plupart des gens, comme cette jeune fille, sont ravis qu'on les prenne en photo à condition de ne pas trop traîner. Si vous êtes trop lent, ils finiront par se sentir gênés et vous aurez raté l'instant magique. À droite, cette image réalise un équilibre parfait : le décor occupe une place assez importante pour compléter les aspects narratifs de l'image, mais sans que l'impact produit par cette femme en soit diminué.

Les portraits informels

Vous pouvez réaliser un portrait informel dans votre studio, chez le modèle ou dans la rue. Il peut s'agir d'un portrait simplement plus décontracté, ou bien dramatique, humoristique ou satirique. Ce sont en général des clichés pris sur le vif qui nous donnent les portraits informels, soit d'étrangers (voir page 65), soit de membres de notre famille à la maison, à la plage, au cours d'un pique-nique ; il peut s'agir aussi de clients. La deuxième catégorie de ce type de portrait réclame davantage de réflexion, d'imagination et de préparation.

Le portrait décontracté

Où que vous soyez, vous et votre appareil, restez toujours à l'affût de ces moments où une personne laisse transparaître son caractère. Lors d'une séance de portrait classique, faites quelques clichés pendant qu'il arrange sa cravate ou qu'elle se brosse les cheveux avant le début des opérations. Raccompagnez votre modèle jusqu'à sa voiture et photographiez-le dans la rue. Au printemps, à l'occasion d'un pique-nique en famille, attendez ce moment de bonheur quand votre femme, ou votre mari, après un bon repas, s'allonge pour profiter des caresses du soleil chaud. Si vous êtes dans la rue, visez l'expression d'impatience sur le visage du piéton qui attend que le feu passe au rouge. Restez toujours vigilant pour saisir le moment révélateur. Chaque personne a son histoire, chaque image devrait en raconter une partie.

Quand vous faites des portraits de passants dans la rue, fixez un zoom de 80-200 mm sur votre appareil pour pouvoir cadrer à toute vitesse. Chez vous, gardez votre appareil à portée de la main. Que vous fassiez des portraits dans un studio ou n'importe où ailleurs, le seul moyen de devenir un bon photographe du point de vue technique aussi bien qu'humain, c'est de prendre des tas de clichés. Nous commettons tous des erreurs, et même beaucoup, mais c'est comme ça que nous apprenons.

Nathan Benn

En respectant les coutumes de ces femmes timides, j'ai gagné leur confiance et

Robert Caputo

elles m'ont permis de garder ce souvenir de leurs regards directs et profonds.

Cary Wolinsky

Quel est le métier ou le passe-temps préféré de votre modèle ? Trouvez le moyen de montrer cette activité en faisant preuve d'imagination.

Cette photo du pilote effectuant un looping est beaucoup plus intéressante que s'il était assis la tête en haut ou debout à côté de son avion. Cherchez des objets, chez votre sujet ou dans son bureau, qui vous aideront à raconter son histoire, comme sur le montage ci-contre.

Cary Wolinsky

Les portraits avec un petit plus

Cette catégorie de portraits informels exige de vous des talents dignes d'un metteur en scène. Vous allez transformer les lieux en scène, à moins que vous n'inventiez un décor pour la séance de photos. Dans ce type de portraits, vous cherchez à aller au-delà de l'évidence, à photographier la personne d'une manière et dans un cadre qui permettent de saisir sa personnalité, grâce à l'utilisation humoristique, théâtrale ou décalée de son environnement.

Bruce Dale

Photographiez par exemple un archéologue étendu dans un sarcophage, un ornithologue perché sur un arbre, ou faites poser dans votre studio un plongeur en tenue avec tout son attirail.

Faites appel à votre imagination. Parlez de vos idées avec votre sujet, afin de trouver quelque chose de vraiment original. Ce type de collaboration doit devenir un jeu pour l'un comme pour l'autre.

Comme les magazines publient régulièrement des portraits de ce type, consultez-en un grand nombre chez le marchand de journaux ou dans une bibliothèque. Les photographes spécialistes du genre ont également sorti un grand nombre d'ouvrages. Les couvertures de CD musicaux offrent d'excellents exemples de cette technique.

Faites appel à votre imagination. Pour réaliser le portrait d'un scientifique qui étudie la gravité et la théorie des quanta, le photographe a choisi le mode conceptuel. En décrivant un arc de cercle avec son appareil, et en déclenchant cinq fois son flash, il a obtenu ce portrait plein de dynamisme.

SISSE BRIMBERG
L'histoire derrière l'histoire

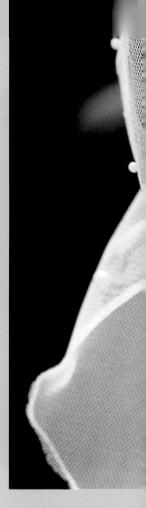

QUAND SISSE BRIMBERG était jeune fille, elle avait un petit ami. Il n'y a rien d'extraordinaire, bien sûr, à ce qu'une jeune Danoise ait un petit ami, mais la mère de celui-ci avait un métier peu courant à l'époque pour une femme. C'était la première femme à exercer le métier de photographe de presse au Danemark. Sisse Brimberg et Inga Aistrup se lièrent vite d'amitié et la jeune fille suivit son aînée dans toutes sortes de reportages, de plus en plus fascinée par tous les aspects de la photographie.

« J'admirais ce qu'elle faisait, toutes ses capacités. Et je trouvais formidable qu'on puisse être son propre patron. »

À l'école, Sisse Brimberg n'était pas ce qu'on appelle une bonne élève, aucune matière n'ayant réussi à l'intéresser. Mais une fois son imagination éveillée, elle fut attirée par ce monde que lui faisait découvrir son amie photographe. Un jour, elles parlèrent de ce que Sisse ferait plus tard.

« Tu vas être photographe, bien sûr, déclara Inga.

— Comment tu peux le savoir ? Tu crois que j'ai du talent ?

— Eh bien, nous verrons ! Tu n'as pas encore essayé. Et, soit dit en passant, la photo, c'est facile.

— Ce sont les mots les plus sensés qu'on m'ait jamais dits. Bien sûr, ce n'est pas facile, mais en affirmant cela à cette époque, elle m'a permis de ne pas être intimidée par la photographie. Grâce à elle,

Sisse Brimberg (à gauche) travaille pour le NATIONAL GEOGRAPHIC depuis 1976, le plus souvent sur des thèmes complexes, historiques et culturels.

« J'aime d'autant plus un sujet qu'il présente un défi .»

Cette jeune mariée ukrainienne attend au soleil le début de sa nouvelle vie. En se servant d'un objectif de 80-200 mm, Sisse Brimberg a pu saisir ce moment d'intimité sans interrompre la rêverie de la jeune femme.

la photographie m'a semblé accessible. Aussitôt, j'ai demandé à ma mère et à mon père si je pouvais avoir un appareil photo. Ils m'en ont offert un et la semaine suivante, j'ai commencé à faire des photos. Et je n'ai pas arrêté depuis ce jour-là.

– Cet enchantement que j'ai ressenti pour la première fois avec Inga ne m'a jamais quitté. Aujourd'hui encore, quand je travaille dans la chambre noire et que je vois une image apparaître comme par miracle dans le bain, j'éprouve ce même frisson. »

Après le lycée, Sisse Brimberg entra en apprentissage chez un photographe commercial, chez qui elle passa quatre ans à s'initier aux subtilités de l'éclairage en studio, technique dans laquelle elle excelle.

Elle ouvrit ensuite son propre studio, qui marchait très bien, mais elle sentait qu'il lui manquait quelque chose. Elle découvrit ce que c'était en faisant la connaissance d'un éditeur qui l'envoya en mission dans toute l'Europe et en Amérique du Nord.

« Au cours de ces voyages, j'ai découvert à quel point j'aimais faire des photos des gens que je rencontrais. Cela me rappelait ces journées passées avec Inga où nous recherchions des émotions et des relations authentiques. J'avais vraiment aimé ça et décidé que c'était ce que je voulais faire. »

Sisse Brimberg jeta son dévolu sur NATIONAL GEOGRAPHIC. « J'ai harcelé M. Gilka, qui était alors directeur de la photographie. Mais bien sûr, je me suis rendu compte qu'il faut faire ses preuves avant de jouer dans la cour des grands. C'est pourquoi j'ai continué mes autres travaux. » Un an plus tard, elle entrait au département photographie de la NG SOCIETY.

Depuis 1976, Sisse Brimberg a voyagé un peu partout dans le monde pour NATIONAL GEOGRAPHIC, et a traité toutes sortes de sujets. Elle se passionne pour les sujets historiques et culturels qui demandent beaucoup de recherche et encore plus d'imagination. Comme il n'est pas possible de voyager dans le temps, elle cherche les moyens de faire voir le passé.

« Couvrir des sujets de cette sorte pose un défi de plus en plus ambitieux, et c'est ce que j'aime. C'est comme un puzzle. Je fais des recherches, tout en essayant de dénicher les pièces qui me permettront de réaliser une image du passé. Il faut trouver des choses, dans la vie actuelle, qui donnent au lecteur l'impression de contempler le passé. Il ne s'agit pas seulement d'objets, mais aussi des visages et de ces activités qui sont en rapport avec les origines d'une civilisation.

« La photographie est un processus de découverte. À chaque fois que j'ai un nouveau reportage, je suis terrifiée, je doute. Le sujet me paraît être un vaste océan inexploré et mon petit bateau tout à fait pitoyable. Mais je fais mes recherches, puis je pars.

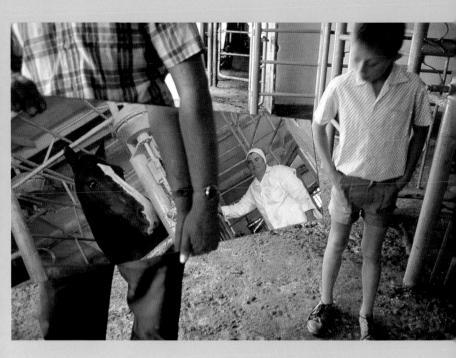

Je commence à faire des photos tous les jours, à étudier le sujet. »

« Au début, c'est comme si vous vous entraîniez, et que ces exercices ensuite vous emmenaient dans une certaine direction. Vous rencontrez des gens, vous commencez à parler de choses et d'autres avec eux. Souvent, ce que vous pensiez chercher pour une situation donnée n'est pas là, mais ces gens se trouvent détenir la clef de la bonne porte et alors, vous y allez. Il est très important de parler avec les gens quand vous êtes en voyage pour un reportage, et de les écouter attentivement. Ils connaissent beaucoup mieux le sujet que vous, même s'ils ne s'en rendent pas compte. »

Pour Sisse Brimberg, son travail consiste à raconter des histoires sur des gens ou des sujets d'une manière qui permette au spectateur non seulement de les voir, mais aussi de les sentir. Souvent elle s'est retrouvée dans des situations très douloureuses.

Sisse Brimberg venait de terminer une séance de photos dans une écurie et l'homme sur la gauche enlevait un miroir qui lui avait servi de réflecteur. Au moment où il passait, elle aperçut cette image, qu'elle trouva meilleure que ce qu'elle avait imaginé. Son conseil : « Il ne faut pas s'arrêter tant qu'on n'est pas rentré dans sa chambre d'hôtel. »

« Mon travail me montre des tas de choses qu'il serait plus facile d'ignorer. Mais notre travail, c'est de montrer aussi ces histoires et de nous introduire dans la vie privée de ces gens, même quand ils souffrent. Je pense qu'un être humain qui a vu ce côté de la vie devient beaucoup plus compréhensif et compatissant. »

Comme la plupart des photographes du NATIONAL GEOGRAPHIC, Sisse Brimberg pense que le photographe doit garder sa liberté de mouvement et consacrer toute son énergie à la production d'images plutôt qu'à son matériel.

Sisse Brimberg a pu saisir l'attente de la ballerine qui va monter en scène parce qu'elle était arrivée en avance à une représentation du Lac des cygnes donnée par les Ballets Mariinsky, à Saint-Pétersbourg. Quand vous allez quelque part, arrivez en avance et partez tard.

« J'essaie de ne pas ressembler à un photographe quand je suis en reportage. Moins j'emporte de matériel, moins les gens font attention à moi. Je peux donc davantage me concentrer sur les photos. Le travail est plus facile quand on n'est pas forcé tout le temps de chercher et de manipuler des accessoires. »

Sisse Brimberg conseille aux photographes de réfléchir sérieusement à l'identité de leurs sujets et à la manière de la montrer à travers ce qu'ils font. « Essayez de comprendre les émotions inhérentes à l'histoire que vous racontez, et cherchez le moyen de les faire voir. Vous êtes attiré par une personne pour une certaine raison, qui vous l'a fait remarquer au milieu de passants. Faites des photos sur cette qualité, quel que soit le nom qu'elle porte. »

Les conseils de Sisse Brimberg

- Portez des vêtements qui vous permettent de vous fondre dans la foule.

- Emmener toujours un calepin avec vous. Prenez des notes sur les noms des sujets et des contacts, mettez par écrit vos idées, les lieux que vous avez remarqués pour des séances futures.

- Quand vous faites des repérages, prenez toujours votre appareil. Certaines occasions ne se présentent qu'une fois.

- N'oubliez jamais votre écran solaire. Les photographes doivent souvent attendre longtemps en plein soleil. Ne ratez pas une photo parce que vous vous abritiez à l'ombre.

- Après une séance, prenez le temps d'étudier toutes vos photos. Regardez en particulier celles qui sont ratées et essayez de savoir pourquoi.

- Essayez d'innover. Pour votre satisfaction personnelle, tirez le maximum de vos possibilités, trouvez votre style. On ne gagne pas à tous les coups, mais quand on y arrive, c'est un sentiment unique.

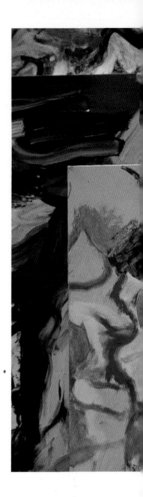

LES PORTRAITS RACONTENT LES GENS. Les portraits en situation racontent les gens et ce qu'ils font de leur vie. Ils parlent de la maison dans laquelle ils vivent et de leur manière de la décorer ; ils montrent leur profession et le lieu où ils l'exercent, l'environnement qu'ils ont choisi et les objets qui les entourent. Les portraits en situation cherchent à donner une idée d'une personne en associant au portrait la notion de lieu.

Une vocation, un métier

En premier lieu, bien sûr, vous devez penser à votre modèle et à la facette de sa vie que vous souhaitez mettre en avant : travail, maison, loisirs, sport, etc. Lequel de ces aspects semble le plus important pour la personne choisie ? Qu'est-ce qui chez elle éveille le plus de passions et de fierté ? Il n'y a qu'un moyen de trouver : passer beaucoup de temps avec elle.

Dans certains cas, le choix du lieu semble assez évident : un artiste dans son atelier, un boucher à son étal, un enseignant dans sa salle de classe. Essayez d'aller toujours au-delà des apparences. Les gens sont souvent extrêmement attachés à un autre aspect de leur vie. Servez-vous de votre imagination – et de la leur – pour trouver quelque chose qui marche.

Si vous décidez de photographier quelqu'un chez lui, proposez-lui de vous faire visiter les lieux. Faites très attention à son comportement. En effet, les gens s'attardent volontiers et parlent plus long-

Sam Abell, photographe du NATIONAL GEOGRAPHIC

William Albert Allard, photographe du NATIONAL GEOGRAPHIC

Ci-dessus, le portrait de Willem de Kooning semble plein de décontraction à cause de l'expression de l'artiste, de sa salopette de travail et du décor. La photo de droite est plus classique et s'accorde mieux avec la femme qui collectionne les œuvres d'art et la pièce.

Melissa Farlow

Cette photo nous révèle la fierté que tire l'agriculteur de son enfant et de ses cultures. Quand vous faites des portraits en situation, prenez le temps de découvrir ce que votre sujet aime vraiment et demandez-lui de vous le montrer.

temps dans la pièce ou le coin du jardin qu'ils préfèrent. Demandez à l'agriculteur de vous faire voir son exploitation, au passionné de petits trains de vous faire admirer son installation. Dites que vous aimeriez rester avec lui pendant qu'il se met au travail ou se livre à son occupation favorite. Ne faites pas de photos, ne prenez même pas votre appareil. Contentez-vous de tout observer.

Observez vos modèles avec attention, regardez comment ils se déplacent dans la pièce ou le lieu où ils travaillent et l'activité qui semble leur plaire plus particulièrement. Ouvrez l'œil. Notez mentalement le type de vêtement qu'ils portent, les outils qu'ils utilisent, tous ces petits détails révélateurs qui font partie de cet aspect de leur vie. Quand vous tenez compagnie à votre sujet, vous avez l'occasion de l'observer, de trouver non seulement l'environnement qui convient aux photos mais aussi d'autres détails que vous pourrez faire figurer sur le cliché. Par ailleurs, il peut ainsi s'habituer à votre présence.

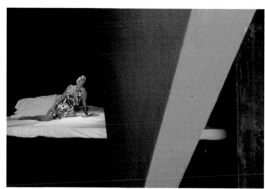

William Albert Allard, photographe du NATIONAL GEOGRAPHIC

L'exploration des lieux

Cette forme géométrique puissante et dynamique contraste avec le lit moelleux et la pose alanguie de la femme, d'où une composition riche de tensions. Servez-vous des éléments que vous trouvez sur place pour mettre en valeur votre image et la rendre plus intéressante.

Si vous devez photographier quelqu'un dans un espace qu'il a l'habitude d'occuper, vous pouvez explorer les lieux tout en liant connaissance. Si vous préférez faire vos photos ailleurs, allez-y tout seul auparavant. Dans les deux cas, étudiez les caractéristiques physiques de l'espace et la lumière. Réfléchissez à la place que vous voulez donner à l'espace dans votre cliché. Quelle est la meilleure position pour le modèle ? S'il s'agit d'un espace intérieur, vous devrez peut-être l'éclairer au flash électronique et/ou avec des réflecteurs.

Demandez à votre modèle si vous pouvez visiter l'endroit à un moment où personne n'y travaille et prenez votre appareil avec vous pour faire vos observations à travers différents objectifs. Si vous avez besoin d'éclairer, faites votre installation à un moment où vous êtes seul. Pensez que vous et votre sujet allez sans doute vous déplacer dans cet espace, et disposez vos spots de manière à laisser la voie libre.

S'il s'agit d'un espace extérieur, visitez-le à différentes heures de la journée pour voir comment la lumière tombe et pour décider de l'heure qui conviendrait le mieux. Voyez si vous aurez besoin d'un flash ou de réflecteurs. Si oui, prenez le temps de les installer avant la séance.

Peut-on imaginer une manière plus efficace de montrer les qualités d'une matière

ignifugée ? Le regard calme et direct de l'homme ajoute une touche d'humour.

La séance

Même si vous avez déjà eu des contacts avec votre modèle, il sera sans doute un peu nerveux et embarrassé quand vous arriverez pour la séance. C'est normal. Ne le stressez pas. Restez là, attendez. Au bout d'un moment, il sera absorbé par son travail ou son activité et vous oubliera. Vous pourrez alors commencer à travailler.

N'oubliez pas qu'il s'agit d'une image aussi bien de la personne que de son environnement. Il faut que la personne occupe assez d'espace sur le cliché pour que le spectateur puisse bien la voir, mais vous devez aussi accorder au décor une place suffisante pour faire passer l'information et la sensation que vous recherchez. Pour y parvenir, utilisez les différentes techniques de composition dont nous avons parlé plus haut.

Par exemple, si vous photographiez un boulanger, vous pouvez placer au premier plan des rangées de pains qui nous conduisent vers lui. Ou bien, vous pouvez faire un gros plan sur lui, en laissant apparaître le pain derrière. Photographiez-le en train de porter des sacs de farine, de pétrir la pâte, de retirer les miches du four. Pensez au portrait en situation un peu comme s'il s'agissait d'un essai photographique. Vous voulez saisir la nature de la personne et ce qu'elle fait.

Soyez patient. Si vous êtes pressé, vous rendrez votre sujet nerveux. Une fois qu'il s'est plongé dans son travail ou une autre activité, attendez qu'il exprime sa concentration. Il est intéressant parfois d'attendre certains détails révélateurs : la sueur sur les sourcils de l'haltérophile, la terre sous les ongles du jardinier. Déplacez-vous autour de votre sujet et essayez différents angles. Rapprochez-vous. Éloignez-vous. De temps en temps, demandez-lui de lever les yeux vers vous. Faites beaucoup de clichés, en essayant de ne pas laisser passer le moment qui raconte l'histoire de cette personne.

Point pratique

Quand vous arrivez dans un endroit inconnu, prenez des notes sur les détails qui vous frappent. Essayez de trouver le moyen de les intégrer dans votre composition.

Ces deux photographies d'un homme au même endroit, tout en nous renseignant, font naître des sentiments différents. Sur le cliché ci-dessus, nous devinons une relation entre l'homme et les ruines. La photo ci-dessous nous fait comprendre clairement le rapport entre l'homme et la ferme de ses parents.

Bruce Dale (en haut et ci-dessus)

Il n'est pas facile de réussir un portrait de groupe, et plus le nombre des personnages augmente, plus la tâche se complique. Il n'est déjà pas évident de faire une bonne photo révélatrice d'une seule personne, et avec un groupe, le problème est multiplié par le nombre des sujets. Nous avons tous fait cette expérience qui consiste à réunir la famille ou l'équipe de foot afin que tout le monde pose pour la photo. Vous avez déjà quelques problèmes à les disposer de manière à voir tous les visages. Ensuite, bien sûr, vous voulez que chacun soit à son avantage, que personne ne ferme les yeux ou fasse une grimace. Les portraits de groupe exigent du photographe de l'imagination, de la patience, et de la diplomatie.

Tout d'abord, pensez à la nature du groupe. Est-ce une réunion de famille, un congrès, l'équipe locale de foot ou une troupe de danseurs ? Il faut choisir entre deux types de portraits de groupe.

Le premier type, le plus courant, se contente de montrer toutes les personnes présentes. Ces photos très directes cherchent à donner une image nette de tout le monde. Ici, vous avez deux problèmes principaux, la disposition et la lumière.

Si le groupe est restreint, il n'est pas trop difficile de placer chacun. S'il est important, vous allez devoir entasser tout le monde d'une manière ou d'une autre pour que chacun soit visible. Si vous faites des clichés en intérieur, servez-vous d'un escalier, ou bien demandez aux personnes du premier rang de s'asseoir ou de s'agenouiller. Si vous travaillez en extérieur, prenez ce que vous trouvez, gradins, dunes, colline. Et faites attention à la lumière.

Thomas Nebbia

Il faut éviter que certaines personnes fassent de l'ombre à d'autres, ce que vous pouvez régler avec l'éclairage. En extérieur, la lumière diffuse des journées nuageuses convient parfaitement aux portraits de groupe à cause de l'absence d'ombres.

Vous pouvez aussi surélever l'appareil. Mettez-vous debout sur une chaise, montez sur l'escalier, un arbre ou n'importe quoi et demandez aux sujets de se réunir à vos pieds. Les photographes qui réalisent régulièrement des portraits de groupe se servent souvent d'une échelle.

Les derniers survivants de l'armée de Zapata posent pour un portrait de groupe.
Leurs armes anciennes évoquent leur jeunesse héroïque. Leur position assise nous indique que l'époque des combats est révolue.

Robert Caputo

Tirez parti de l'environnement. Au lieu d'agglutiner tout le monde, regardez autour de vous. Sur cette photo, les fondations de l'ancienne maison font des socles parfaits et les personnages éparpillés laissent apercevoir une bonne partie du paysage.

Vous utiliserez sans doute un grand-angle et devez donc faire attention à la distorsion : il serait dommage que les gens sur les côtés ressemblent aux reflets que renvoie un miroir déformant. Vérifiez votre profondeur de champ pour être sûr que chacun soit bien net. Et faites attention aux yeux fermés : avec un reflex, vous ne voyez pas le moment où l'appareil prend le cliché, aussi faites-en une série pour en avoir au moins un sur lequel personne ne ferme les yeux. Bavardez avec votre groupe pendant les prises de vue – racontez-leur des histoires drôles si vous voulez qu'ils sourient. Et ne faites pas seulement des clichés quand tout le monde est en place. Faites-en quelques-uns quand ils cherchent leur place et quand ils s'en vont. Ce sont parfois les meilleurs.

Le deuxième type de portrait de groupe demande plus d'imagination, comme les portraits conceptuels dont nous avons parlé au chapitre « Les portraits ». Là, vous ne voulez pas seulement faire

une photo qui montre tout le monde, vous souhaitez dire quelque chose sur ces personnes. Vous devez
choisir un emplacement, un angle et une composition aboutissant à une image qui montre le groupe
tout en le révélant.

Imaginons que vous photographiez une équipe
de nageurs. Vous pouvez les placer tous sur les gradins et faire un portrait direct. Ou bien vous pouvez
rechercher quelque chose de différent, et vous tenir
sur le plongeoir en demandant aux nageurs de se
regrouper dans l'eau en dessous. Vous pouvez aussi
vous mettre dans l'eau et leur demander de plonger
tous dans votre direction. Autre solution, vous les
emmenez dans le désert et vous les photographiez
cherchant leur chemin d'un air hagard.

Servez-vous de votre imagination. Trouvez le
moyen d'établir un rapport entre le groupe et un
environnement qui révèle quelque chose sur la nature
de ce groupe. Faites-le littéralement, avec humour,
emphase, ou bien recherchez le parfait contraste.
Demandez-leur des idées.

Et, une fois de plus, regardez des travaux de ce
style dans les magazines, les livres et sur les couvertures de CD. N'ayez pas peur de faire des expériences,
aussi osées soient-elles. Certaines des meilleures photos sont celles qui sortent vraiment de l'ordinaire.

Point pratique

Faites attention si vous photographiez un groupe avec un grand-angle. Les personnes sur les côtés risquent d'être déformées.

Bruce Dale

Le photographe a pu réaliser cette image agréable d'une famille devant sa maison grâce à la lumière égale et diffuse et à une grande profondeur de champ. Remarquez comment il a placé la petite fille pour laisser apparaître l'allée qui conduit à la maison.

LES GENS QUE NOUS PHOTOGRAPHIONS le plus souvent sont les membres de notre famille. Nous immortalisons les grandes occasions et les moments d'intimité. Nos albums sont remplis de photos de bébés, de leurs premiers pas, de spectacles donnés à l'école, de fêtes de Noël, de vacances et de mariages. Ces photos, qui incarnent nos souvenirs, sont sans doute les plus importantes que nous ferons ou posséderons jamais. Pour photographier votre famille, faites appel à votre réflexion et à vos connaissances techniques avec autant de rigueur, sinon plus, que s'il s'agissait d'un reportage.

Vous ne pouvez pas trouver de meilleurs modèles pour vous entraîner. Personne ne se montrera jamais aussi confiant ou plein de bonne volonté avec vous, qui êtes sans cesse là avec votre appareil, à manipuler vos éclairages ou à faire des bêtises. Quand vous photographiez des étrangers, vous trouvez le truc, ou vous ne le trouvez pas. Vous ne pouvez pas revenir sur un instant éphémère. Avec votre famille, vous pouvez essayer de recréer cet instant autant de fois que vous le désirez.

Mettez en pratique toutes les techniques de composition et d'éclairage que nous avons décrites dans ce guide. En travaillant avec votre famille, vous allez surmonter cette timidité que nous éprouvons tous quand nous photographions des étrangers et vous pourrez vous familiariser avec votre matériel et maîtriser les techniques afin de passer à d'autres travaux.

Réfléchissez bien aux gens de votre entourage, aux aspects essentiels de leur personnalité et à la manière de les révéler par la photographie. Faites

Robert Caputo

des portraits classiques, décontractés, en situation et de groupe, mais aussi des portraits conceptuels. Faites des essais photographiques sur votre famille mais aussi des photos d'action, figées, floues et filées. Prenez des quantités de photos.

Votre appareil doit toujours être à portée de la main quand vous êtes chez vous, et quand vous sortez, emmenez-le partout, que vous alliez au supermarché ou sur le mont Blanc. Il faut que vous ayez la sensation d'être nu si vous n'avez pas votre appareil avec vous.

Pour cette image, j'ai attendu que les enfants soient plongés dans l'histoire que leur racontait leur grand-père et j'ai utilisé un flash d'appoint avec un accessoire diffusant pour compléter la lumière de la fenêtre.

Annie Griffiths Belt

Robert Caputo

Les parents

Si vous voulez faire des photos de votre père, réfléchissez : qui est-il ? que fait-il ? quelles sont ses passions, les choses auxquelles il tient ? Faites un portrait classique de lui, en essayant de saisir la personne que vous connaissez. Faites un portrait en situation de lui au travail ou dans sa pièce. Aime-t-il le golf ? Accompagnez-le sur le green ; prenez-le en plein swing, c'est une excellente manière de vous entraîner au cliché d'action. Faites un essai photographique sur ses activités quotidiennes. Rappelez-vous que vous cherchez à réaliser des images de sa personnalité, pas seulement de son apparence physique. Faites des photos dont vous serez fiers tous les deux.

De même avec votre mère. Puis photographiez-les tous les deux ensemble. Recherchez des moments qui expriment leur relation. Ne vous contentez pas de « clichés », comme le bouquet de fleurs qu'offre votre père à votre mère le jour de leur anniversaire de mariage. Trouvez ces petits moments qui font partie de notre vie de tous les jours.

Que vous preniez des clichés de moments intimes ou plus ludiques, votre appareil doit toujours être prêt – vos yeux aussi. Si le modèle dort (à gauche), vous pouvez utiliser une vitesse d'obturation lente pour profiter de la douce lumière naturelle. Pour saisir un moment fugace de bonheur (ci-dessus), il vous faudra une vitesse supérieure.

David Alan Harvey

Pensez aussi aux vues d'ensemble. En montrant une grande partie du porche et le chien au repos, le photographe nous donne une image qui évoque bien une visite chez grand-mère. Une photo prise de plus près n'aurait pas rendu la même atmosphère.

Les grands-parents

Quand vous allez voir vos grands-parents, faites des portraits et des clichés sur le vif de toutes sortes. Réfléchissez à leur personnalité, au lieu où ils vivent et à ce qu'il révèle sur eux. Peut-être grand-père possède-t-il une médaille gagnée pendant la Seconde Guerre mondiale, un vieux tacot entretenu avec amour ou tout simplement un chapeau qui ne le quitte pas. Grand-mère conserve peut-être parmi ses trésors un tableau peint par sa mère ou la machine à écrire sur laquelle elle a tapé sa première nouvelle. Cherchez des objets que vous pouvez faire figurer sur les photos et qui raconteront une partie de l'histoire de leur vie.

Vous êtes confronté là à des relations multiples et spécifiques : entre les grands-parents, entre eux et leur fille, leur gendre et, bien sûr, les petits-enfants. Tous vous fourniront une profusion de thèmes.

Si vous passez les fêtes de Noël par exemple avec les grands-parents, faites un essai photographique. N'oubliez pas le moindre détail : l'arrivée des parents éloignés, les préparatifs culinaires, la table dressée, les adieux larmoyants. Vous avez l'occasion de mettre en pratique presque toutes les techniques dont nous avons parlé : clichés sur le vif, portraits, action, éclairage. Une fois chez vous, faites une brochure avec votre essai et envoyez-la à tous vos parents.

Les enfants

Dès le jour de leur naissance, nous photographions quasiment tout ce qui se passe dans la vie de nos enfants. C'est vraiment là que vous avez besoin d'avoir tout le temps votre appareil sous la main ; ils font parfois des choses adorables, mais qui ne durent qu'un instant.

Gardez votre appareil à côté de vous et servez-vous d'un film sensible (ISO 400) si vous ne voulez pas perdre de temps à installer un flash électronique et à attendre qu'il se recharge. Lorsque vous utilisez un flash, créez une réfection sur le plafond ou un mur et utilisez un accessoire diffusant pour éviter les yeux rouges ou les ombres dures. En extérieur, utilisez une vitesse d'obturation rapide, 1/250 de seconde par exemple, pour photographier vos enfants qui courent, et servez-vous d'un zoom pour cadrer à toute vitesse.

Occupez-vous des enfants. Jouez au ballon avec eux, racontez-leur une histoire, participez à leurs

> **Point pratique**
>
> Si les enfants veulent regarder dans le viseur, laissez-les faire. Ils seront plus détendus et coopératifs. Évitez juste qu'ils posent des doigts sales sur l'objectif.

Quand vous vous accroupissez pour photographier des enfants, il peuvent se précipiter sur vous, alors soyez prêt. J'ai pu prendre la photo de droite parce que j'ai gardé la mise au point sur le garçonnet pendant qu'il courait vers moi.

Robert Caputo (à gauche et ci-dessus)

John Eastcott et Yva Momatiuk

Il est important que les enfants se sentent à l'aise quand vous les photographiez. Placez-vous à leur niveau et racontez-leur des blagues pour les mettre en confiance. Faites aussi attention à l'arrière-plan. Sur cette image, le photographe a décidé de faire figurer le chien.

activités. Demandez à votre fils ou à votre fille de vous montrer son jouet préféré. S'ils veulent regarder dans le viseur, laissez-les faire. Les enfants ne restent pas concentrés très longtemps ; ils vont vite vous oublier, vous et votre appareil, pour reprendre leurs jeux. Soyez à leur niveau. En général, les photos d'enfants rendent mieux si vous ne les regardez pas de haut, mais que vous voyez le monde de leur point de vue. Accroupissez-vous, mettez-vous à quatre pattes ou allongez-vous pour mieux voir leurs expressions.

Attendez le moment où ils expriment ce qu'ils ressentent. Si votre enfant fait un tour sur les montagnes russes, ce sera ce mélange de joie et de frayeur quand le wagon est sur le point de plonger dans le vide. S'il vient de marquer un but, ce sera aussi bien le moment où il frappe la balle que le saut de joie. S'il a juste fini de construire une cabane dans un arbre, ce sera sa fierté. Quel que soit ce moment, réfléchissez à l'activité et au meilleur moyen de l'illustrer.

Quand vous photographiez un anniversaire, ne ratez pas les moments que nous voulons tous voir :

l'enfant qui souffle ses bougies ou ouvre ses cadeaux. Pour qu'on distingue les flammes de la bougie, sélectionnez une vitesse d'obturation de 1/30 de seconde ou moins, selon la sensibilité du film. S'ils jouent à chat, utilisez une des techniques de photographie d'action. Faites des vues d'ensemble pour avoir tous les invités, mais des clichés plus rapprochés du héros du jour. Cherchez aussi d'autres détails : un doigt dans le gâteau, le jus de fruit renversé.

À l'école, lors des spectacles, des concerts, des remises de prix, ne soyez pas timide et faites les photos que vous désirez. Si vous êtes assis loin de la scène, levez-vous et placez-vous juste devant quand vous avez envie de faire des photos. Agenouillez-vous dans l'allée pour ne pas gêner les autres spectateurs, faites vos photos et retournez vous asseoir. La plupart des gens ne disent rien. Si le spectacle est joué dans une salle ou de nuit, pensez aux types de lumière utilisés. Et introduisez-vous dans les coulisses pour faire des clichés des acteurs en train de se maquiller ou d'enfiler leur costume.

Dans toutes ces occasions, vous voulez des images de votre enfant et d'autres qui rendent l'ambiance de la fête. Aussi, photographiez votre enfant au moment où il reçoit son prix, mais aussi l'instant où sa classe manifeste son exubérance.

Quand vous photographiez un mariage, adoptez l'approche de l'essai photographique. Faites une liste de tous les détails à couvrir. Mais ne commencez pas seulement à l'arrivée de la mariée. Participez à la fête que donne le marié pour enterrer sa vie de garçon. Allez voir la mariée pendant qu'elle se fait coiffer et qu'elle s'habille. Si vous le pouvez, explorez les lieux à l'avance pour avoir une idée de la lumière et des décors. Renseignez-vous sur les éventuelles restrictions relatives aux flashes électroniques. Ne vous contentez pas de votre liste de clichés. Ouvrez l'œil pour saisir les moments de bonheur, faites des instantanés du couple et des invités qui racontent l'histoire de ce mariage.

Point pratique

Anticipez le comportement des enfants. S'ils jouent à chat, installez-vous près de la « maison », cadrez et attendez qu'ils arrivent en courant.

Le corps humain

Depuis les hommes des cavernes qui ébauchèrent les premières figures humaines au charbon, les peintres, les sculpteurs puis les photographes ont toujours été fascinés par ce sujet, et certains d'entre eux ont consacré leur vie à en rendre les formes et les lignes.

Dans le portrait, nous nous intéressons à la personnalité de notre sujet, nous essayons d'imprimer sur la pellicule une qualité de l'être humain qui va au-delà de l'aspect physique. Les photos du corps humain sont exactement le contraire ; elles parlent de la manifestation physique de cet animal qu'est l'humain, du corps qu'il habite. Ces photos sont des études de la beauté et/ou de la forme. Certaines nous donnent des visions idéalisées du corps humain, notion qui varie selon les époques, ce que l'on apprend en histoire de l'art.

Avant de commencer à faire des photos du corps humain, pensez à ce qui vous attire vers lui. Est-ce une silhouette, les bras levés et les jambes écartées, se détachant sur un lever de soleil splendide comme si elle voulait saisir ce nouveau jour ? Est-ce une tête et un torse, humides et étincelants, qui émergent des flots ? Est-ce une forme nue montrant les courbes vulnérables de la chair, et offrant un contraste avec des galets durs et sans âge ? Ou bien la courbe classique d'une hanche ?

Point pratique

Pour éviter d'être trop anatomique quand vous photographiez le corps humain, essayez un effet de flou ou utilisez un filtre différent.

Le photographe a bien calculé l'instant et la mise au point pour saisir ce nageur au bon moment puisqu'il n'est pas caché par l'écume. Les posemètres intégrés ayant tendance à surexposer l'eau foncée, n'oubliez pas de compenser.

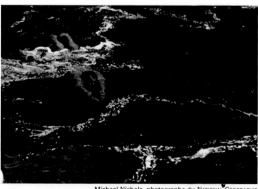

Michael Nichols, photographe du NATIONAL GEOGRAPHIC

Bill Curtsinger

Quel que soit l'aspect qui vous attire, pensez à ce que vous essayez de dire avec vos images, puis réfléchissez à l'éclairage et au décor qui vous aideront le mieux à y parvenir. Une silhouette humaine qui se détache devant une immense horloge nous dit quelque chose, mais le message est différent si elle est placée devant une cascade. Le nu n'est pas ressenti de la même manière selon qu'il est photographié dans un studio ou dans un jardin. Comme pour les autres genres en photographie, l'image du corps humain devrait à la fois le montrer et le raconter. N'essayez pas d'être trop littéral ou anatomique ; les photos qui évoquent ou suggèrent sont souvent beaucoup plus intéressantes et révélatrices.

Regardez les œuvres des peintres, des sculpteurs et des photographes dans les livres, les musées et les galeries. Réfléchissez à leur manière de traiter ce sujet. Que ressentez-vous à regarder leurs œuvres ? Comment y sont-ils parvenus ?

Le léger flou de cette belle image d'une femme sous l'eau, qui nous fait penser à une sirène, est dû à la lenteur de la vitesse d'obturation. Pensez à ce que vous voulez dire sur la forme humaine, et choisissez les techniques qui vous en donneront les moyens.

Jodi Cobb, photographe du NATIONAL GEOGRAPHIC

Les mains et autres détails

Les mains d'un agriculteur, d'un pianiste, d'un boulanger. Les pieds d'une danseuse classique, d'un coureur de fond, d'un joueur de football. Le ventre d'une femme enceinte, le biceps d'un haltérophile. Des cheveux caressant un oreiller, des doigts croisés pour une prière, un œil interrogateur. Les détails du corps humain nous donnent des sujets formidables de photos, que ce soit pour exprimer des idées ou des émotions, en tant qu'éléments graphiques ou afin de dire quelque chose sur une personne. À chaque fois que vous photographiez quelqu'un, essayez de penser aux détails de son corps ou de son vêtement qui font allusion à votre message.

Peut-être avez-vous remarqué une partie de son corps ou un élément de sa garde-robe qui révèle son métier ou son violon d'Ingres. Votre sujet se distingue peut-être par un détail précis. Pouvez-vous rendre de manière abstraite, en utilisant l'un de ces éléments, ce que vous voulez dire de la personne ?

 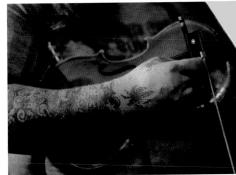

William Albert Allard, photographe du NATIONAL GEOGRAPHIC   Bruce Dale

Ces trois images de mains très différentes évoquent trois types de pensées et d'émotions tout aussi variées. Quand vous photographiez des détails tels que des mains, pensez à la personne à qui elles appartiennent, à sa vraie nature et aux autres parties du corps que vous voulez intégrer ou exclure.

Imaginons trois frères, par exemple. L'un est avocat et très soigné de sa personne. Le deuxième, agriculteur, travaille dans les champs où il ne manque pas de se salir. Le troisième est un passionné de tennis. Si vous faites un portrait des trois frères ensemble, leurs visages raconteront une bonne partie de leur histoire. Mais regardez aussi leurs chaussures. Faites-les asseoir sous la véranda, les pieds posés sur la balustrade. La photo des trois paires de chaussures, les souliers anglais à la mode et bien cirés, les bottes pleines de boue et les chaussures de tennis raconteront à peu près la même chose d'une manière différente et pleine d'imagination.

Le fait est que vous devez vous servir de votre imagination, que vous souhaitiez vous servir d'un détail ou que vous préfériez l'abstraction, pour dire quelque chose sur une personne ou sur la beauté du corps humain. Si vous faites des photos de certaines parties du corps humain, votre travail n'ira pas sans une certaine intimité avec ces gens et vous devrez leur dire quoi faire, où poser, et comment.

Réfléchissez longtemps avant la séance afin de savoir ce que vous faites une fois le moment venu.

Cherchez toujours des détails révélateurs, comme ici ces bottes avec leurs éperons.

Todd Gipstein

et le bas du jean qui nous font penser à un pauvre cow-boy solitaire.

LYNN JOHNSON
Hommage
à des histoires humaines

Lynn Johnson, une jeune fille timide, a passé beaucoup de temps dans la bibliothèque de son lycée à compulser toutes sortes de livres. Un jour, elle tomba sur un livre de photos de Dorothea Lange et d'autres photographes de documentaires qui avaient travaillé pour la Farm Security Administration. Sa vie en fut bouleversée.

« J'ai tout de suite été envoûtée par la force de ces photos. Au cours de ma jeune vie assez protégée, je n'avais jamais vu des travailleurs et des métayers chassés de leurs terres et je n'avais certainement jamais éprouvé une telle souffrance, mais je pouvais la sentir en regardant ces photos. Ces photos suscitaient une émotion que je n'avais jamais ressentie. J'ai eu envie d'aller chercher mon appareil photo. »

Elle commença par faire des photos pour l'annuaire de son école, expérience qui lui permit de découvrir son talent inné et quelque chose de plus :

« Quand vous êtes timide, l'appareil photo vous ouvre les portes. C'est une sorte de bouclier derrière lequel je pouvais cacher ma timidité et qui m'a permis de devenir une observatrice active au lieu de rester passive. »

Depuis cette époque, la jeune fille timide a escaladé l'antenne de radio de la John Hancock Tower, à Chicago, elle s'est promenée sur des échafaudages vertigineux et a vécu au milieu des pêcheurs de

Lynn Johnson (à gauche) a fondé sa carrière sur l'approche des gens, en leur permettant de raconter leur histoire à travers ses photos très fortes.

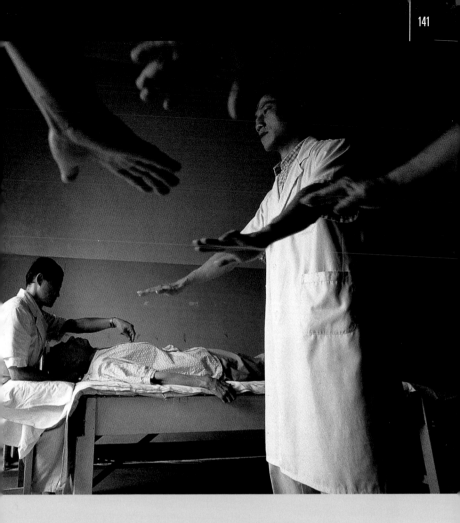

Dans cet hôpital en Chine, les diabétiques pratiquent certains exercices de méditation pour faire baisser leur dépendance vis-à-vis de l'insuline. Johnson s'est accroupie et a pris sa photo en contre-plongée pour saisir cette image des mains qui se tendent vers le patient étendu sur la table.

Long Island ou de combattants au Viêt-nam. Elle a réalisé des portraits très approfondis de célébrités comme Stevie Wonder, Michael Douglas et tous les juges de la Cour suprême. Mais Lynn Johnson a toujours gardé – depuis le premier jour dans la bibliothèque du lycée – cette passion qui la pousse à raconter la vie des personnes ordinaires.

Ses essais photographiques poignants d'une famille luttant contre le sida, d'enfants confrontés à la mort cérébrale de leur mère et bien d'autres sont des coups d'œil aussi honnêtes que sensibles dans la vie de personnes ordinaires faisant face à des circonstances extraordinaires, et restent des clichés de référence.

À l'occasion d'un reportage sur la douleur, Johnson s'est rendue une demi-douzaine de fois chez cette patiente et leur intimité ressort avec évidence de cette image qui vous serre le cœur. La harpe est un sédatif prescrit par le médecin, qui aide la patiente comme sa famille à supporter la douleur et le stress.

Il n'a pas été facile de raconter ces histoires et de les faire publier. Après avoir obtenu son diplôme du Rochester Institute of Technology, Lynn Johnson est entrée au *Pittsburgh Press* où on n'avait jamais vu une femme photographe.

Quand elle est arrivée, l'un des photographes du journal s'est exclamé : « Nous avons maintenant quelqu'un qui va s'occuper des mondanités ! »

« Mes collègues étaient formidables, et d'excellents professeurs, mais ils n'avaient pas beaucoup évolué. Parce que je suis une femme, et parce que je suis petite (1,55 mètre), il ne leur est jamais venu à l'idée que je pouvais faire autre chose que couvrir les événements mondains. Il fallait que je le leur prouve. Quand des sujets de reportage arrivaient, je n'attendais pas qu'on m'en donne. Je prenais tout simplement celui qui me plaisait – sans rien dire à personne –, je sortais et j'allais faire mes photos. »

Lynn Johnson est restée sept ans au journal. Elle avait fini par convaincre les rédacteurs du magazine du dimanche de la laisser faire des essais photographiques.

« Je commençais à me fatiguer des informations : vous arrivez, vous repartez aussitôt. J'avais l'impression que beaucoup de reportages méritaient plus d'espace, ne serait-ce que par loyauté envers les gens. »

Quand elle quitta le *Pittsburgh Press*, elle fut invitée à participer à un projet documentaire sur la vie des pêcheurs de Long Island, intitulé *Men's Lives* (« Vies d'hommes »).

« C'était un véritable projet documentaire. Adelaide DeMeril, qui finançait ce projet, nous disait : "Allez faire des photos, allez rendre hommage à la vie de ces gens." Les autres photographes et moi, nous n'avons jamais eu à justifier le moindre cliché ou le moindre dollar dépensé. J'ai passé un an à travailler sur ce projet, avec quelques interruptions, et il m'a vraiment préparé au type de photographie que je fais depuis.

« Ce qui importe, quand vous faites des photos en profondeur, c'est d'établir des relations, des relations de qualité. C'est ce que j'appelle "la photo à trente tasses de café". Vous devez entrer au sein de la communauté, pas seulement en votre qualité de photographe, mais aussi avec votre intelligence et votre cœur. Et avec le temps j'ai commencé à comprendre l'idée de l'éducation à travers la photo et l'importance des photos.

« Les photographies aident les gens à regarder des choses qu'ils ne peuvent pas ou ne veulent pas voir. Tant que vous n'avez pas vu quelque chose, vous ne pouvez pas le changer. Vous devez d'abord regarder cette chose, avant d'avoir l'occasion de la comprendre et de la changer.

« Pour moi, la photographie a été une mission. Je ne parle pas d'une mission avec un grand M, mais il s'agit de savoir dans la vie de tous les jours que

chacun de nous est responsable de la communauté, que notre sens de nous-mêmes et de nos responsabilités au-delà de nous-mêmes prend autant d'importance que nous lui en donnons. Ce travail sur des sujets vraiment importants, c'est un engagement pour essayer de prendre ses responsabilités. »

Les photos de Lynn Johnson témoignent de son implication et de sa sensibilité. Peu de personnes sont capables de s'intégrer dans la vie des autres avec cette intimité faite d'émotions partagées et de photographies. Elle attribue cette capacité à la simple priorité qu'elle s'est donnée.

Alors qu'elle suivait le procès d'un crime raciste à Jasper, au Texas, pour le magazine *Life*, Lynn Johnson a voulu aller au-delà des apparences. Elle s'est promenée dans cette petite ville, pour essayer de comprendre

« Les gens – les relations que j'ai avec eux et les expériences – sont plus importants que les photographies. En tant que journalistes, nous avons pour responsabilité non pas de manipuler les gens, mais de leur rendre hommage, à eux et à leurs histoires.

« Les seuls moments où je tremble véritablement de peur, ce n'est pas quand je cours un danger physique, mais quand l'émotion est trop grande. Je fais attention à éviter les collisions sur le terrain émotionnel, à reconnaître la souffrance des autres et à m'y montrer sensible et à ne jamais perdre de vue le don qu'ils me font par leur présence. »

Elle prépare ses reportages en lisant beaucoup et en écoutant les gens parler du sujet. « J'aime entendre les voix des gens. La recherche est un processus intérieur qui vous fait connaître le sujet, vous familiarise avec, c'est une somme de connaissances acquises progressivement qui vous remplit de votre sujet. »

Lynn Johnson travaille actuellement à des projets à long terme sur les crimes racistes et les soins médicaux pour les femmes.

les sentiments des habitants. Quand elle a rencontré ces deux femmes et découvert qu'elles étaient les meilleures amies du monde, elle a su qu'elle avait trouvé quelque chose qui donnerait une dimension différente à son histoire.

Les conseils de Lynn Johnson

■ Voyagez léger. Emportez juste ce qu'il faut pour que vous puissiez encore courir.

■ Vous devez parfaitement connaître votre matériel, de façon à l'attraper sans même regarder.

■ Choisissez une communauté, et engagez-vous avec votre esprit et votre cœur.

■ Ne vivez pas dans une tour d'ivoire. Vous ne pouvez rien dire sur les autres si vous ne vous exposez pas.

■ Choisissez le type de photographie qui vous met en contact avec les gens avec qui vous voulez être, et non l'inverse.

■ Donnez-vous un thème, plongez-vous dedans et allez faire vos clichés.

IL FAUT ABORDER UN ESSAI PHOTOGRAPHIQUE un peu de la même manière qu'une nouvelle ou un roman. Tout d'abord, vous devez réfléchir à votre sujet : son apparence, le lieu où il vit, celui où il travaille, sa profession, sa personnalité. Un essai écrit cherche à rendre une description physique de la personne, de l'environnement dans lequel elle vit et de ce qu'elle fait, sans oublier les aspects émotionnels et intellectuels. L'essai photographique devrait se donner le même but.

Quand vous faites un essai photographique, réfléchissez aux techniques de composition que nous avons abordées dans les chapitres précédents. Utilisez-les, ou oubliez-les, selon la situation. Et surtout, ne cessez pas de vous entraîner. Il faut vous familiariser avec votre matériel et son fonctionnement au point où vous n'avez plus besoin d'y réfléchir. Vous devez entraîner votre œil jusqu'au point où les jeux de lumière et la composition deviennent des automatismes, où vous pouvez sentir facilement ce qui convient en regardant dans le viseur.

Les appareils modernes peuvent faire tout seuls des photos avec une mise au point et une exposition parfaites. Mais ils ne savent pas cadrer. Ils ne peuvent pas faire de choix, intégrer ou éliminer certains éléments et encore moins faire passer des informations ou des sentiments dans l'image. Seuls les humains peuvent communiquer des idées et des émotions.

Annie Griffiths Belt

Une histoire en plusieurs photos

La plupart des essais photographiques consistent en un ensemble de photos qui racontent l'histoire de quelqu'un pour une période donnée – cinq minutes ou plusieurs années, selon l'histoire que vous cherchez à raconter. La première étape, et la plus importante, c'est de cerner le sujet et de décider du type d'image dont vous aurez besoin pour faire passer le message.

Imaginons, par exemple, que vous avez choisi pour modèle une enseignante. Parlez-lui, expliquez-

Pour réaliser un essai photographique sur une Américaine typique, la photographe Annie Griffith Belt a réalisé ce portrait de Pattie Skeen et de sa fille Julie. Notez le cadre vide de tout détail qui affaiblirait l'impact du portrait.

lui ce que vous voulez faire et pourquoi, et obtenez son accord. Comme vous passerez beaucoup de temps avec elle, assurez-vous qu'elle comprend ce qu'implique ce projet et qu'elle est prête à coopérer.

Passez quelques jours avec elle sans faire de photos. Cela donne le temps au sujet, à sa famille et à ses élèves de s'habituer à votre présence et vous permet d'établir une relation avec elle et les personnes de son entourage. Cela vous donne aussi l'occasion de repérer les clichés à faire.

Ensuite, dressez une liste des photos que vous souhaitez réaliser. Par exemple :

1. Le petit déjeuner en famille.

2. Le trajet jusqu'à l'école.

3. La salle des professeurs.

4. En classe.

5. Le déjeuner à la cantine.

6. Rencontres avec des élèves ou des parents.

7. La surveillance de l'équipe de natation.

8. Le dîner en famille.

9. Les devoirs de ses enfants, comment elle les aide.

10. La correction des copies d'élèves tard dans la nuit.

Il ne suffit pas de faire des photos de chacune de ces situations. Pour chacune des photos, pensez à l'instant décisif – guettez-le – qui saisit le regard et le sentiment, une facette de sa vie.

Au petit déjeuner, c'est peut-être le moment où elle verse du jus d'orange ou bien quelques minutes plus tard quand elle aide son enfant à mettre son sac à dos. En classe, elle peut se pencher sur un élève pour l'aider à résoudre un problème ou lire une scène de Shakespeare à ses élèves. Vous pouvez avoir envie de saisir l'instant, le soir, où elle corrige les devoirs de ses élèves en appuyant sa tête fatiguée sur sa main. C'est à vous de découvrir le moment, dans chaque situation, qui raconte le mieux son histoire. Chacune de ces photos devrait être une bonne photo se suffisant à elle-même.

La photographe a passé beaucoup de temps avec ses modèles. Elle a pu les mettre à l'aise et saisir des instants à la maison (à gauche) et à l'église (ci-dessous), où Pattie organisait une nuit de prière. Pattie, timide quand elle était seule avec la photographe, oubliait vite sa gêne lorsqu'elle était en groupe.

Annie Griffiths Belt (à gauche et ci-dessus)

Dans un essai photographique, pensez aussi à « avancer » et à « reculer ». Vous devez réaliser des portraits intimes, des clichés pris d'un peu plus loin, mais aussi des vues d'ensemble qui montrent vraiment l'environnement.

Une fois le film développé, éditez votre histoire avec un grand soin. Ne choisissez que les meilleures photos pour chaque situation, sans oublier d'inclure aussi bien des prises de vue rapprochées que des vues d'ensemble. S'il y a une situation que vous n'avez pas comprise, demandez-vous pourquoi. Qu'est-ce que vous devriez faire pour l'améliorer ?

Retournez sur les lieux et recommencez. Il n'y a rien de mal à revenir. En général, votre sujet fera preuve de bonne volonté si vous lui expliquez vos motifs. Les deux parties ont intérêt à ce que l'essai photographique soit le mieux possible.

La meilleure manière de s'instruire, en matière d'essais photographiques, c'est d'étudier les œuvres des autres photographes dans ce genre. Allez dans une bibliothèque ou dans une librairie et regardez plusieurs livres d'essais photographiques. Essayez aussi de trouver d'anciens numéros de *Life* et de *Paris Match*. Ces magazines ont publié certains des meilleurs essais jamais réalisés.

Choisissez quelqu'un que vous connaissez, un membre de votre famille, un voisin, un ami, et réalisez un essai photographique en le prenant pour sujet. Travaillez jusqu'à ce que vous soyez tous les deux satisfaits du résultat.

L'essai en une seule photo

« Une image vaut dix mille mots », dit le proverbe chinois. .

Quelquefois, l'essai photographique se réduit à une seule image qui, à elle seule, saisit les traits physiques, l'environnement, l'émotion et l'idée. Consacrez du temps à votre sujet et pensez à la vie

Point pratique

Quand vous êtes chez des gens ou sur leur lieu de travail, emmenez le moins de matériel possible. Vous devez réduire au maximum la gêne causée par votre présence.

Pattie aide son fils Michael à faire ses devoirs (ci-dessus). Un peu plus tard,
ce soir-là, Pattie réconforte Julie qui ne se sent pas bien (ci-dessous).
Sur toutes ces photos, les sujets semblent parfaitement à l'aise et nous avons
le privilège de porter un regard authentique sur leur vie.

Annie Griffiths Belt (en haut et ci-dessus)

Cette image raconte
en elle-même toute
une histoire sur une
religieuse d'un couvent
de Pennsylvanie. Nous
nous faisons une idée
du milieu dans lequel
elle vit et, comme
elle est plongée dans
son travail, et que
nous pouvons en voir
le résultat, l'image
nous révèle à quoi
elle passe ses
journées. N'oubliez
jamais que les bonnes
photos montrent
les personnes
aussi bien qu'elles
les racontent.

unique que mène cette personne. Déterminez le
cadre, l'heure, l'activité et l'éclairage qui résume-
ront le mieux l'interprétation que vous donnez
d'elle.

Quand vous avez terminé votre essai photographique sur l'enseignante, votre parent ou votre
ami, cherchez une image qui à elle seule puisse
résumer le tout. Si vous n'en n'avez pas une,
laquelle ferait l'affaire ?

Cary Wolinsky

Quelle est l'essence de la vie de la personne ou de l'événement que vous traitez ? Où trouvez-vous le plus de passion ? Imaginez un moyen de saisir cela et retournez prendre ce cliché.

Regardez le travail des autres photographes. Pensez sérieusement aux moyens qu'ils ont mis en œuvre pour parvenir à leurs résultats, et servez-vous de ces connaissances pour améliorer vos images.

CE QU'IL FAUT EMPORTER

Liste des accessoires indispensables

sacoche doublée de plaques de polystyrène

boîtier avec cache et courroie

objectifs favoris avec leurs bouchons avant et arrière

pare-soleil

films de différentes sensibilités ou cartes numériques

1 pinceau avec soufflette

produit nettoyant et lingettes pour objectifs

flash électronique

posemètre et piles pour le flash

déclencheur souple

En option

filtres absorbant les UV, antibrume, « skylight » 1A, polarisant, densité neutre, dégradé densité neutre, ambre, bleu

sac ou bâche en plastique pour protéger le matériel des intempéries

modes d'emploi du matériel

tissu absorbant doux ou peau de chamois

gel de silice pour temps humide

trépied, pied et/ou contrepoids

1 grand parapluie

produit réfrigérant pour grosses chaleurs

1 boîtier de rechange

1 flash de rechange

1 posemètre manuel de rechange

1 posemètre à cellule au sélénium pour les grands froids

ruban adhésif

carnet et feutre indélébile

étiquettes adhésives pour marquer les films

lunettes de soleil

bandeaux antitranspirant pour la tête et les poignets

carte gris neutre 18 %

sacs en plastique à fermeture hermétique pour stocker les films

dioptrie adaptée à votre vue

réflecteurs

cellule de déclenchement asservie et émetteur radio pour flash électronique

Outils

Sac pour changer les films

« Extracteur » de pellicule ou extracteur d'amorce de film

Couteau suisse

Clef à filtre

Clef à pipe

Tournevis de bijoutier

Presselle (ou pince à épiler)

Pinces pour dégripper les articulations de trépied

Sécurité

Lampe de poche

Compas

Sifflet

Eau

Quelque chose à grignoter

Trousse de pharmacie premiers secours

Ruban adhésif fluorescent pour les vêtements en cas de prises de vue de nuit

SITES INTERNET

Les ressources d'Internet en matière de photographie de paysage sont quasiment inépuisables, qu'il s'agisse de sites de photographes, de magazines, de maisons d'édition, de groupes de discussion, d'informations touristiques ou sur la météo, d'itinéraires pittoresques, de matériel photographique, de conseils, etc. L'information peut parfois être très spécialisée. Servez-vous d'un moteur de recherche pour trouver les sites par nom de photographe ou par mot-clé. Nous vous proposons ci-dessous une liste partielle qui vous permettra de vous lancer. Comme le contenu d'un site peut changer ou même disparaître, surfez le plus possible.

Magazines de photo en ligne

Apogee On-Line Photo Magazine
www.apogeephoto.com
www.photographie.com
Revue Photographie
www.revue.com
www.aidda.com
www.dazibao.net
Portfolios en ligne
www.portfolios.com
Photobis, portail photo
www.photobis.com

Photo numérique

www.pixelactu.com
www.cplus.fr/html/photonum
www.megapixel.net

Magazines

National Geographic
www.nationalgeographic.fr

Téléobjectif
www.en-print.fr
Photo
www.photoamateur.net
Chasseur d'images
www.photim.com
Objectif Nature
www.objectif-nature.tm.fr
www.photo.net
Outdoor Photographer magazine
www.outdoorphotographer.com

Organismes

Centre National de la Photographie (CNP)
www.cnp-photographie.com

Associations

www.visapourlimage.com
Fédération photographique de France
ourworld.compuserve.com
GNPP (syndicats de professionnels)
www.gnpp.com
Société française de photographie
www.sfp.photographie.com
Fédération des cercles photographiques
www.belgiumphotography.yucom.be

Apprentissage de la photo

Le B.A-BA de la Photo
www.detonphoto.net
Débuter en photographie
members.aol.com
La Photographie - Christian Judei
(Le cours)
www.chez.com/dolphin
Photographie pas à pas
perso.club-internet.fr/aleske/index.html
Photo numérique.com
www.photo-numerique.com
Photogramme - Procédés artisanaux
www.photogramme.org
Techphoto (anglais)
www.techphoto.org

Fabricants d'appareils

www.agfa.fr
www.canon.fr
www.interphoto.co.uk
www.kyocera.com
www.fujifilm.com
www.kodak.com
www.leica-camera.com
www.olympus-europea.com
www.pentax.com
www.rollei.com

Fournisseurs d'accès et hébergeurs gratuits

www.M6.net
www.free.fr
www.chez.com

Magazines en français

Sur la photo
Le photographe
Réponses photo
Chasseur d'images
Photo
Pour voir
De l'air

De photoreportage

National Geographic Magazine
Geo
Terre sauvage
Grands reportages

Bibliographie

Les ouvrages de photographie et de photographes sont très nombreux dans le commerce. Dans la perspective d'une meilleure connaissance des courants de photographie et des styles, rien ne vaut la confrontation avec les regards des grands photographes. Voici quelques pistes et suggestions.

Eugène Atget
Eugène Atget, Andreas Krase, Taschen, 2000
Atget le pionnier, Jean-Claude Lemagny, Exposition du 23 juin au 17 septembre 2000, Marval, 2000
Itinéraires parisiens, Paris-Musées, 1999
Eugène Atget, Françoise Reynaud, Centre National de la Photographie, 1984

August Sander
Photographie, Taschen, 1999
Hommes du XXe siècle, Ulrich Keller, Le Chêne, 2000

André Kertész
Le photographe à l'œuvre, E. Rogniat Presses Universitaires Lyon, 1997
André Kertész
The Getty Museum Museum, 1995

Cecil Beaton
Cecil Beaton, C. Spencer, Academy Eds, 1996
50 ans de collaboration avec Vogue *: photographies dessins,* Cecil Beaton, Jean-Baptiste Médina, Herscher.

Édouard Boubat
Parisiens, Peter Turnley, Abbeville Press France, 2000
Images du XXe siècle, Abbeville Press France, 1998
Carnets d'Amérique, E. Boubat, Complexe Eds, 1995
Lella, E. Boubat, Contrejour, 1992
Helmut Newton

Helmut Newton's illustrated,
Assouline Eds, 2000

Helmut Newton, Centre National de
la Photographie, 1999

Sebastiao Salgado
Exodes, Sebastiao Salgado, de La Martinière
Eds, 2000

La Main de l'homme, Sebastiao Salgado,
de La Martinière Eds, 1998

Éric Valli
Himalaya – L'enfance d'un chef, Eric Valli,
Debra Kellner, de La Martinière Eds, 1999

Nomades du miel, Eric Valli, de La
Martinière Eds, 1998

Les Voyageurs du sel, Eric Valli, Diane
Summers, de La Martinière Eds, 1994

Les photographes du National Geographic

Un regard sur le monde, James Stanfield,
1999

Cuba, David Alan Harvey, 2000

Australie, Sam Abell, 2000

Femmes photographes, 2000

Photographies, Hier et Aujourd'hui, 2000

Au cœur du Vatican, James Stanfield, 2000

Le Tigre, Michael Nichols, 2000

Grands chasseurs sous la lune,
Beverly Joubert, 2000

Jardins, Sam Abell, 2001

Robert Caputo écrit et photographie pour
le National Geographic depuis 1980. Son
travail, régulièrement récompensé par des
prix, est également publié dans de nombreux autres magazines. Il fait l'objet d'ex-
positions internationales. Caputo est aussi
l'éditeur de deux ouvrages pour enfants
sur la faune et de deux ouvrages sur la photographie, *Journey Up The Nile* and *Kenya
Journal.* Il a également écrit le commen-
taire du documentaire du National
Geographic : *Zaïre River Journey.* Il a
renouvelé cette expérience, en tant qu'au-
teur et producteur associé pour le film
Glory & Honor (TNT Original), qui retrace
l'exploration du pôle Nord. Il vit à
Washington, DC.

NATIONAL GEOGRAPHIC
Guide pratique de la photo
Portraits et personnages
de Robert Caputo
est une publication de la NATIONAL GEOGRAPHIC SOCIETY.

Président-directeur général : John M. Fahey, Jr.
Président du conseil d'administration :
Gilbert M. Grosvenor
Vice-président : Nina D. Hoffman

Réalisation éditoriale :
Vice-président et éditeur en chef : Kevin Mulroy
Directeur-adjoint : Charles Kogod
Directeur artistique : Marianne R. Koszorus

Ont participé à la réalisation de ce livre :
Chef de projet et responsable iconographe : John G. Agnone
Responsable éditoriale : Rebecca Beall Barns
Responsable artistique : Cinda Rose assistée de Joan Wolbier
Documentaliste : Charlotte Fullertone
Consultant : Bob Shell
Directeur de la fabrication : R. Gary Colbert
Responsable du projet en fabrication : Lewis R. Bassford
Assistante iconographe : Sharon K. Berry
Index : Susan Nedrow

Production et contrôle de la qualité :
Directeur : George V. White
Directeur associé : John T. Dunn
Responsable du budget : Phillip L. Schlosser

Édition originale
© 2002 par la NATIONAL GEOGRAPHIC SOCIETY
sous le titre de NATIONAL GEOGRAPHIC *Photography Field Guide - People & Portraits*
All rights reserved.

Édition française
© 2002 par la NATIONAL GEOGRAPHIC SOCIETY.
All rights reserved.

Réalisation éditoriale
G+J / RBA, pour NATIONAL GEOGRAPHIC France
Direction éditoriale : Françoise Kerlo
assistée de Marilyn Chauvel
Chef de fabrication : Alexandre Zimmowitch

Adaptation : Bookmaker
Coordination éditoriale : Magali Yassini
Conception graphique de la couverture :
Irène de Moucheron
Traduction : Virginie de Bermond-Gettle
Consultante pour l'édition française : Laurence Vidal

ISBN : 2-84582-048-8
Toute reproduction intégrale ou partielle de l'ouvrage, par quelque procédé que ce soit, est strictement interdite sans l'autorisation écrite de l'éditeur.

Première institution scientifique et pédagogique à but non lucratif du monde, la NATIONAL GEOGRAPHIC SOCIETY *a été fondée en 1888 « pour l'accroissement et la diffusion des connaissances géographiques ». Depuis lors, elle a apporté son soutien à de nombreuses expéditions d'exploration scientifique et fait découvrir le monde et ses richesses à plus de neuf millions de membres par le biais de ses différentes productions et activités : magazines, livres, programmes de télévision, vidéos, cartes et atlas, bourses de recherche. La* NATIONAL GEOGRAPHIC SOCIETY *est financée par les cotisations de ses membres et la vente de ses produits éducatifs. Ses adhérents reçoivent le magazine* NATIONAL GEOGRAPHIC — *la publication officielle de l'institution. Le magazine existe en français depuis octobre 1999.*

Visitez le site web de NATIONAL GEOGRAPHIC *France :*
www.nationalgeographic.fr

Couverture :
©Annie Griffiths Belt

Dépôt légal : juillet 2002
Impression : Cayfosa- Quebecor (Barcelone)